世界史の分岐点

激変する新世界秩序の読み方

橋爪大三郎・佐藤 優

SB新書
571

Turning Point of Humanity
by
Daisaburo HASHIZUME & Masaru SATO
SB Creative Corp. Tokyo Japan 2022:01

まえがき

橋爪大三郎

近いうちに、「**世界史の分岐点**」が訪れる。

日本も世界も、その激動に呑み込まれるだろう。避けることはできない。

本書は、それがどんなものか、なぜ起こるのか、詳しく論じている。ビジネスにたずさわる人びとも、市井の人びとも、その備えをしたほうがよい。

＊

ここ三〇年の日本はひどいものだ。いいところがなかった。

経済だけを見ても、中国に軽く追い抜かれ、インドにも追い上げられ、足踏みを続けている。かつての英国病ならぬ、日本病である。中流層は没落し、若者は希望を失い、地方は荒廃している。

何がまずかったのか。

第一に、時代の変化を、読みそこなった。胃ガンなのに、胃もたれと思いこみ、胃散を飲み続けているようなものだ。

第二に、将来への投資を怠った。将来にそなえるためには、将来を信じなければならない。将来を手に入れるには、現在を犠牲にする勇気が必要だ。それなのに、過去の成功にこだわり、現在に引きずられてきた。気づけば財布は空っぽだ。

第三に、優れたリーダーを選ばなかった。いまも選ぶつもりがない。選ぶための仕組みもない。

この三つの、どれかひとつでもできていれば、こうはならなかったろう。

＊

それでも言いたい。今からでも、遅くはない。

日本は、もともとの人口にふさわしい、中サイズの国になった。

この国の一億人あまりの人びとが、平和に充実した人生を送れること。生き甲斐をもって働き、それぞれの場所で精進して、社会に、そして世界に貢献できること。日本の文化が、科学技術が、産業が、世界の人びとにかけがえのない価値を提供すること。世界の人びとと、理解しあい、豊かな交流ができること。それができれば、合格点ではないか。

日本の近代は、急ぎ足だった。人びとを学校に集め、一律に訓練した。学校のやり方に合わせなさい。工場もそうだった。工場のやり方に合わせなさい。その結果、能率はよくなった。秩序も保たれた。その代わり、将来に合わせて、社会を造り変える能力が育たなかった。

親ならみな知っている。家族が毎日、同じように食卓を囲むために、どれだけの苦労があるかを。子どもの将来を思い、自分たちの老後に備え、いまを過ごさなければならないことを。社会も同じだ。平和ないまを過ごすためだけにも、将来を見通す知恵が必要なのである。

＊

本書はその、将来を見通す知恵を持とう、という提案である。

とりあげるトピックは四つ。**経済／科学技術／軍事／文明**、だ。どの分野も近い将来、激動と言うべき大きな変化が起こる。「世界史の分岐点」である。

経済や科学技術や軍事の将来予測の本なら、よくあるよ、と思うかもしれない。だが、いま店頭に並んでいるビジネス書と、本書は根本的に違っている。よくあるビジネス書は、経済の専門家、科学技術の専門家……が書いている。その分野に詳しくても、社会全体や歴史との関連には話が及ばない。しかも、射程が三年〜五年と短い。目先の損得に終始している。要するに読むだけ無駄で、役に立たない。それに対して本書は、五十年、百年の文明の推移を見通す。こういう書物でなければ、将来にそなえられない。

経済／科学技術／軍事／文明、は実は、互いに深く結びついている。だから、本書は、いちおう四つの章に分けてあるが、全体でひとつのストーリーだと考えてほしい。将来はまだ、現在ではない。だから、観測できない。存在しない将来を、ありありと見つめること。これができれば、ビジネスも、政策決定も、人生の選択も、誤ることがない。

＊

将来を見通す知恵とは、創作である。創造的努力である。

この創造的対話を、尊敬する佐藤優先生をお相手につとめることができた。このような機会が与えられたことを、感謝している。

各章ごとに、まず私（橋爪）がトピックを整理し、問題提起役をつとめた。それを受けて佐藤先生に、縦横にお話しいただき、討論を深めた。楽しかった。佐藤先生の数多いひき出しから、つぎつぎ貴重なアイデアをわけていただける興奮を、読者のみなさんにも楽しんでいただけるとよいと思う。

この本は、世界史の分岐点の、ほんの輪郭を描いたにすぎない。来るべき将来に、このあとめいめいがどうそなえていくのかは、読者のみなさんの宿題である。

世界史の分岐点　目次

第2章 科学技術の分岐点
——人類の叡智が、新しい世界を創造する

第3章 軍事の分岐点
——米中衝突で、世界の勢力図が塗り替わる

第4章 文明の分岐点
――旧大陸の帝国が、覇権国の座を奪う

第1章

経済の分岐点

——「アメリカ一極構造」が終わり、世界が多極化する

橋爪　二一世紀は、世界史のどんな分岐点なのか。第1章では、経済の面から、これを明らかにしていきます。

現在、経済の「グローバル化」の真っ只中です。

もっとも、それを言うなら、二〇世紀だってグローバル化の時代だった。一九世紀もそうだった。経済はここ数世紀、グローバル化し続けています。

でも、これから起こることは、これまでと質が違う。経済が「多極化」するのです。

「アメリカ一極構造」の終わり

橋爪　二〇世紀までは多極化していなかった。アメリカが世界の中心で、グローバル化を仕切っていた。植民地時代とそう変わらないやり方です。第三世界の国々が独立し、発言権を手にした。でもアメリカは、覇権国のままだった。

そうこうするうち、冷戦が終わり、世界の様子が変わってきた。中国、インドがアメリカと肩を並べるまでになった。世界経済は新しい段階に入ったのです。

これまでも、**カントリーリスク**の概念があった。投資してもいいが、急に独裁政権になったり、予測できないことが起こりそうで、二の足を踏む。経済の外側から、予測できない要因が飛び込んでくるという考え方が、なくはなかった。

でもいま、中国がアメリカと対立している状況は、カントリーリスクの概念に収まらない。覇権国であるアメリカと違った価値観や行動様式をそなえた、もうひとつの超大国が存在していいのか、存在したらどうなるのか、という問題です。ここが新しい。

このように頭を切り替えているリーダーがいるか。アメリカではそろそろ出てきたけれど、日本にはまだあんまりいない。困ったものです。

佐藤　まず、経済のグローバル化の中で生じてきた「カントリーリスク」という概念が、近年になって無効化しつつあるというのは、そのとおりだと思います。

さらに国内経済に目を向けるならば、ユルゲン・ハーバーマスという哲学者たちが唱えた「後期資本主義」という考え方があります。「国家独占資本主義」と呼んでもいいのですが、これは、国家が市場や市民社会に介入することで成立するという、資本主義の一つの段階を示しています。ひとことでいえば福祉国家化ですね。しかし、そんな後期資本主義的な国内経済体制が、**経済のグローバル化**によってほぼ不要となった。グローバル資本の発展は、国家主導で労働者に資源を再分配する必要性を薄めるからです。

さて、こうしたグローバル経済の流れのなかで、いつの間にか台頭していたのが中国です。

少し前まではアメリカや日本に追いつこうとしているに過ぎないと思われていた中国が、いわば「別の理想型」として勃興している。それが奇しくも見える化したのは、新型コロナウイルスのパンデミックだと思います。感染が世界規模になるにつれてグローバリゼーションに歯止めがかかり始め、ふたたび国境の壁が高くなりました。そんな中、中国は厳しい監視体制を敷いて初期の感染拡大をいち早く封じ込め、経済成長率も2・3％にまで回復させた。今まではカントリーリスクが大きいと思われていた中国のような国が、というのが注目すべき点です。橋爪先生がおっしゃるとおり、これは従来のグローバル経済とは違う、中国を1つの極とする**多極化の時代**の到来と見ていいでしょう。

ここまでの認識は共有していると思いますが、では日本のエリートが、どれだけこの状況を理解し、行動しているか。日本の経済エリートは時代に対応できておらず、半ば惰性で動いていると言わざるをえない一方、政治エリートは敏感に変化を感じ取っているように私の目には映ります。実際、日本の政治エリートは、今までにないような対応をしている。たとえば二〇二一年四月の日米首脳会談などは、日本外交の方向転換が現れた好例です。

会談後の共同声明では、「国際秩序に合致しない中国の行動について懸念を共有」したうえで「台湾海峡の平和と安定の重要性を強調するとともに、両岸問題の平和的解決を促す」と記されました。**台湾海峡**について明記されたのは、日中国交正常化前の１９６９年の日米首脳会談以来のことです。ただ、アメリカの本心としては、もっと強く「台湾」ということを明記したかった。それが「台湾海峡」となったのは、日本側がそのように押し込んだからです。

台湾海峡とすれば、これは航行の自由の問題となり、中国の「１つの中国」路線とはギリギリぶつかりません。アメリカに強く言われたことに従うというのが今までの日本外交でしたが、今回は押し切った。アメリカとは別の１極としての存在感をますます強めている中国を意識した結果でしょう。

そしてもう１つ、中国について理解しておかなくてはいけないのは、いかに**ウイグル**が中国にとって大きい問題か、です。

中国にとって台湾は「今あるものにプラスできるかもしれない」」、実効支配できる領土を拡大するという問題に過ぎません。いってしまえば、強く出て台湾が取れたらラッキーという話です。しかしウイグルは「今あるものからマイナスされてしまうかもしれない」

という、領土保全の本質に関わる問題です。ウイグルで独立運動が起こり、今以上に本格的に国際問題化でもしたら、領土の一部を削り取られかねない。つまり中国にとって、実は「攻め」の問題である台湾よりも、「守り」の問題であるウイグルのほうがはるかに深刻なのです。その点、日本のメディアは比重を間違えていますね。本当は台湾よりもウイグルのほうを大きく扱わなくてはいけない。

この問題においても、日本は、欧米を主とした国際社会と一線を画しています。欧米は、国際秩序のゲームチェンジャーになろうとしている中国を牽制すべく、こぞってウイグル問題で中国を非難し、制裁をかけています。しかし、その中に日本はいない。G7で唯一、中国に制裁をかけていないんです。しかも先の日米首脳会談で、それをアメリカに認めさせている。これは異常な外交です。

橋爪　異常、ですか？

佐藤　今までに例がないという意味で異常ということです。要するに、日本は日米同盟も欧州との関係も重視するという姿勢を見せながら、明らかに抜け駆けを始めています。対中国に関して欧米と100%協調しているわけではないという点で、抜け駆けを狙っていますね。また、対ロシアでも、日本が独自路線を取り始めたことが見て取れます。

先の日米首脳会談に先駆けた二〇二一年四月中旬、アメリカがロシアのサイバー攻撃などを非難したことをきっかけに米ロ関係は急激に悪化し、両国間で外交官の追放合戦が繰り広げられました。その矢先に行なわれた日米首脳会談で、アメリカはロシアについても言及したかったのですが、実際にはいっさい触れずに終わりました。なぜなら、日本が「ロシアにはひとことも言及しない」ということで強くアメリカ側に働きかけ、首脳会談のアジェンダを設定したからです。

このように、中国についてもロシアについても、日本外交は、少しずつ**独自路線**を歩みだしている。これは、今までとはかなり様相の異なる国際的なゲームチェンジが起こっているということを、意外と日本の政治エリートはよくわかっているからだと私は見ているんです。

橋爪　わかってるかもしれない。でも、先の先まで、国益を考えているのか。ただ中国がらみの利益にこだわっているだけにも聞こえます。

佐藤　中国からの利益を失いたくないというよりも、勢力均衡を意識していると思いますね。

橋爪　勢力均衡。それは軍事や文明に関わることなので、あとで議論しましょう。

橋爪　グローバル経済があるところまで進むと、センターがいくつもできて**多極化**するのではないか。それが何を意味するか、考えてみます。

グローバル経済とは、資本と技術と情報が、一国の範囲を超えて自由に移動することです。国民経済の枠をはみ出ます。そのほうが儲かるし、ビジネスチャンスも拡がる。ただ、裏を返すと、そんななかでも移動しにくいものがある。**労働力**です。人びとは、それぞれの地域に根づいて、ローカルコミュニティで生きている。だから移動しにくい。そのため賃金も低い。そこで彼らを現地で雇用すると、先進国に生産基地を置くより儲かるわけです。これが世界中で、過去数十年、ずーっと起こっている。

この生産基地として、中国は適当なのか。

八〇年代に、改革開放が軌道に乗り始めます。それをみて西側諸国は、アメリカもヨーロッパも日本も、中国に資本・技術・情報を提供した。そして生産基地にし、利益を山分けにした。やがて中国は、西側のルールに乗っかるだろうと期待もした。

佐藤　だから中国をＷＴＯに入れてしまいました。

橋爪　でも中国は、西側のルールに乗ってこない。中国に対する研究不足だった。

中国以外の旧植民地は、大きな問題を起こさなかった。インドはイギリス法を採り入れている。東南アジアも、西側のルールを尊重する。これからも問題を起こさないだろう。たまに独裁政権が出てくるくらいです。

でも中国には、中国のやり方がある。それは根深くて、簡単に譲れない。

中国は、中国共産党の政権のまま。中国共産党は中国の広汎な人民を代表すると主張している。これは、共産党の定義の変更です。階級闘争がないということですから。

佐藤　一九六〇年代初頭に旧ソ連で唱えられた「全人民の国家論」とよく似ていますね。共産主義社会の建設により、階級間矛盾のない無階級社会を確立するという、ブレジネフ時代の国家ビジョンの基礎を成す思想です。

橋爪　そして、ナショナリズムになりおおせた。資本主義経済を実行し、近代化を進める政治勢力に転換しおおせたんですね。ですから、中国共産党の支配基盤は磐石で、これを崩すのは容易でない。こんなことになるとは、アメリカも予想外だったと思います。

ということで、中国という新しい極がもうひとつ存在している。アメリカも日本もヨーロッパも、そのお手伝いをしたわけです。ネコがトラになった。トラになってからあわてても遅いのです。

中国は、世界経済を乗っ取るのか？

橋爪　さて、中国の何が困るか。**グローバル経済のルール**に乗っていない点です。

佐藤　乗っていないだけではなく、ひと昔前の中国模式（中国独自の発展モデル）の範疇を飛び出して、一方的に新しい国際ルールを作っていこうとしています。

かつて昭和初期の日本では、ソ連の過渡期国際法の影響を受けた国際法学者の田畑茂二郎や安井郁《かおる》が、大東亜国際法を構想しました。過渡期国際法とは、すべての国に適用される国際法と、共産革命が達成されるまでの過渡期の国際法が併存するとして、欧州中心の国際法を否定したものです。

その思想に影響された田畑や安井は、東アジアに独自の秩序を作り出すための国際法を練ろうとした。大東亜共栄圏の法的バックアップを試みたわけです。今の中国の方向性もそれと似ていて、一方的に現行とは違う国際秩序を独自に作り出そうとしているのではないでしょうか。

橋爪　いまの中国が、大東亜共栄圏とよく似ているという話なら、とても納得します。

グローバル経済は、主権国家がたくさんあって、経済は、各国の法律のもとで活動するのがルールです。でも法律は国ごとに違う。各国の法律を国際フォーマットに合わせなければならない。会計法とか訴訟法とか、特許権とか知的財産権とか。グローバル経済の根本ルールです。それを覇権国が仕切って、残りの国はそれに同調しなければならない。

さて現状、世界で、これにそぐわない国々は、イスラム圏です。イスラム圏は、自由な立法ができないから、このルールからどうしても外れてしまう。そうすると、グローバル経済に乗れない。

佐藤　おっしゃる通りです。

橋爪　インドはこれに乗れる。インドはナショナリズムですけれど、英米法を受け入れ、英語も受け入れてきたからです。

中国はこれに乗れない。中国には中国語があって、中国の文化や歴史、伝統があって、法律は政府がつくるものだという強い思い込みがあります。もう二千年もそれでやってきた。そこで、英米法と中国法のどちらを優先するかになると、中国は、中国政府の立法権を絶対に譲らない。司法裁定権も譲らない。軍事指揮権も譲らない。これが中国ナショナリズムの原則です。はじめから大東亜共栄圏なんですよ。

佐藤　その通りです。

橋爪　それを「中国の特色ある」やり方だと言っている。このシステムは、グローバル経済から生まれたものなのに、そこからはみ出している。「中国の特色ある」は、国際ルールからはみ出す、なのです。なぜはみ出せるか。中国のサイズが大きいからです。

佐藤　まったく同意です。

橋爪　大きくて、一国なのにほぼグローバルなんです。これが日本との違いです。

佐藤　大きさというのは言い換えれば、人口差ですね。これはフランスのエマニュエル・トッドさんが言っているんですけど、中国の人口は日本の十倍もあるので、同盟国になると日本が中国に呑み込まれるしかない。

それともう1つ、グローバルに形成された秩序の中で遂げてきた成長を破壊した例というと、私は、第一次世界大戦のときのヴィルヘルム2世じゃないかと思うんです。「国際法に基づく既存の秩序があることはわかっているが、必要な法律を知らないのだ」という論法です。戦時下では戦時国際法が適用されますが、一九一四年、一九四〇年と、両方の世界大戦でドイツは永世中立国のベルギーを侵犯した。第一次世界大戦時にヴィルヘルム2世が用いたのが、この論法です。今の中国もまた、似たような論法で押し切ろうとしているんだと思います。

橋爪　そのヴィルヘルム2世の法律論の前提として、参謀モルトケの作戦計画があり、それを現代化したシュリーフェン・プランがあった。軍事的・合理的な必要がまずあって、国際法の解釈は、そのあとから出てきたんだと思います。

佐藤　なるほど。

橋爪　ドイツにはドイツの地政学的な必然にもとづく、ヨーロッパ戦略がまずあった。それは、フランスやロシアのヨーロッパ戦略に対抗するための、不可避な戦略だった。それなりの合理性があったと思う。

佐藤　だから、その文脈でクラウゼヴィッツ（プロイセンの軍事学者。第3章で詳述）を解釈すればいいわけですね。要するに、政治とは、その延長線上に戦争があるものだ、と。

橋爪　はい。クラウゼヴィッツの戦争論は、ナポレオンへのアンチテーゼです。ナポレオン、勝手なことをするな。でも、そんなすったもんだは、グローバル化以前の話です。

グローバル化は、そういう紛争を乗り越えた原理です。戦争はしないで、ビジネスをみんなでやって、もうけを山分けにしよう。一九四五年からは、これのはずだった。

佐藤　そこで確認したい点が、「戦争をしない」のか、それとも「戦争ができない」のか。

橋爪　戦争できなかったのですね。核戦争になってしまう。

佐藤　核兵器がなかった時代でも、帝国主義国の軍事力が強大になり、戦争になるとお互いの打撃が大きすぎるということで、帝国主義国同士で一定の調和をとっていた。

橋爪　その調和は壊れてしまったわけですけれど、考え方として通じるものがある。

佐藤　ソ連のフルシチョフ時代の発想ですね。要するに、核兵器の登場によって、クラウゼヴィッツの戦争論が有効でなくなったと考えられた。ただし限定核戦争の可能性はありえます。

橋爪　ありえます。でも、実際にはなかった。エスカレーションを恐れたからです。限定核戦争のはずが、全面核戦争になってしまうのが、エスカレーションです。

核兵器があるおかげで、主権国家の戦争権が、制約されたのです。

佐藤　その点はどうなのでしょう。東西冷戦というのは、基本的にヨーロッパ局面で、東側陣営と西側陣営の通常兵力が均衡していたから起きたという例外的現象だと私は思っています。アジア方面では、実際に、朝鮮とベトナムで激戦が起きているわけですから。

橋爪　なるほど。

佐藤　いずれにおいても核を使って戦争を終わらせるという選択肢はとられませんでした。おそらくこれは政治的な事情があったからであり、マッカーサーがそのまま突っ込んでいたら核を使っていたと思います。

「中国の特色ある……」

橋爪　話を戻します。

中国の法律が世界標準と違うかどうか。違うとも言えるし、違わないとも言える。違わないから、改革開放ができている。外国企業は生産拠点を中国に置ける。中国の民法は、日本の民法以上に、西側の民法の丸写しだとも言われている。

では、違うのはどこか。立法権と裁判権です。

まず、立法権。中国憲法では、全国人民代表大会が立法権を持っていることになっている。でも、**全人代の常務委員会**を開けば、法律を随時制定できる。今回の、香港の国家安全保護法も、そうやって決めました。常務委員会は、党中央の意のままです。立法権は実際は、中国共産党が握っている、ということです。

裁判権はどうか。西側諸国では、裁判権は行政権力から独立している。上位の裁判所からも独立していて、裁判官は自分の良心のみに従って、判決を下します。中国の場合、裁判所にも党委員会があって、党の指示に従います。裁判でどういう判決を出すか、事前にすり合わせる。裁判官の独立性がない。法律より上位の権威が存在して、それは共産党です。この点が、国際ルールとまったく異なります。

通常のビジネスをしている限り、利益が上がればいいと中国側も考えますから、このことは問題になりません。でも、いざというときには共産党が出てきて、問題になる。これは、カントリーリスク以上のカントリーリスクである。そう、アメリカはやっと認識したと思うのですね。

佐藤　**党の指導的役割**が国家に埋め込まれている点は、やはりソ連に似ています。

橋爪　そこは似ています。

佐藤　こうした体制下では、権力の最中枢はブラックボックスです。トップがどのように選ばれているのか、意思決定はどのようになされているのか。議事録は党内部用に作られているでしょうし、さらに、重要発言は党内部用の議事録にすら記録されていない場合もあります。ソ連がそうでした。レーニンがすべての権力をソビエトの執行機関に集中させたのです。

橋爪　たしかにソ連と似ていますが、違う点もあると思います。

違う点は2つです。

ひとつは、経済のあり方の違い。ソ連の場合、計画経済ですから、市場経済ではない。よって、西側世界（自由主義経済）に対する影響はほぼないのです。経済として、最初から切り離されて（デカップリングされて）いる。

中国の場合。中国経済は、世界経済と太い血管でつながっています。中国を切り離そうとすれば、血が出ます。言い換えるなら、中国経済は、世界に大きな影響力を持っているんです。これがひとつ。

佐藤　確かにおっしゃるとおりですね。

橋爪　もうひとつは、行政機構のあり方。中国の官僚制は、マルクス・レーニン主義よりずっと古い。そして、この官僚制は、ブラックボックスになっていない。必ずトップがいて、トップが意思決定をするスタイルを取ります。

ただし、伝統的な官僚制とも違っています。伝統中国の官僚制は、皇帝が意思決定をします。どんなに偉い皇帝も、愚かな皇帝も、必ず自分で意思決定をする。周辺にブレーンがいて、それをサポートします。ブレーンは、自分の信念を述べ、皇帝と違う意見を言います。受け入れられて皇帝の決定が改善される場合もあります。受け入れられないと、左遷されるか、首を斬られて殺されてしまいます。これが機能をしている間、政権は倒れな

中国共産党と国家・軍組織との関係

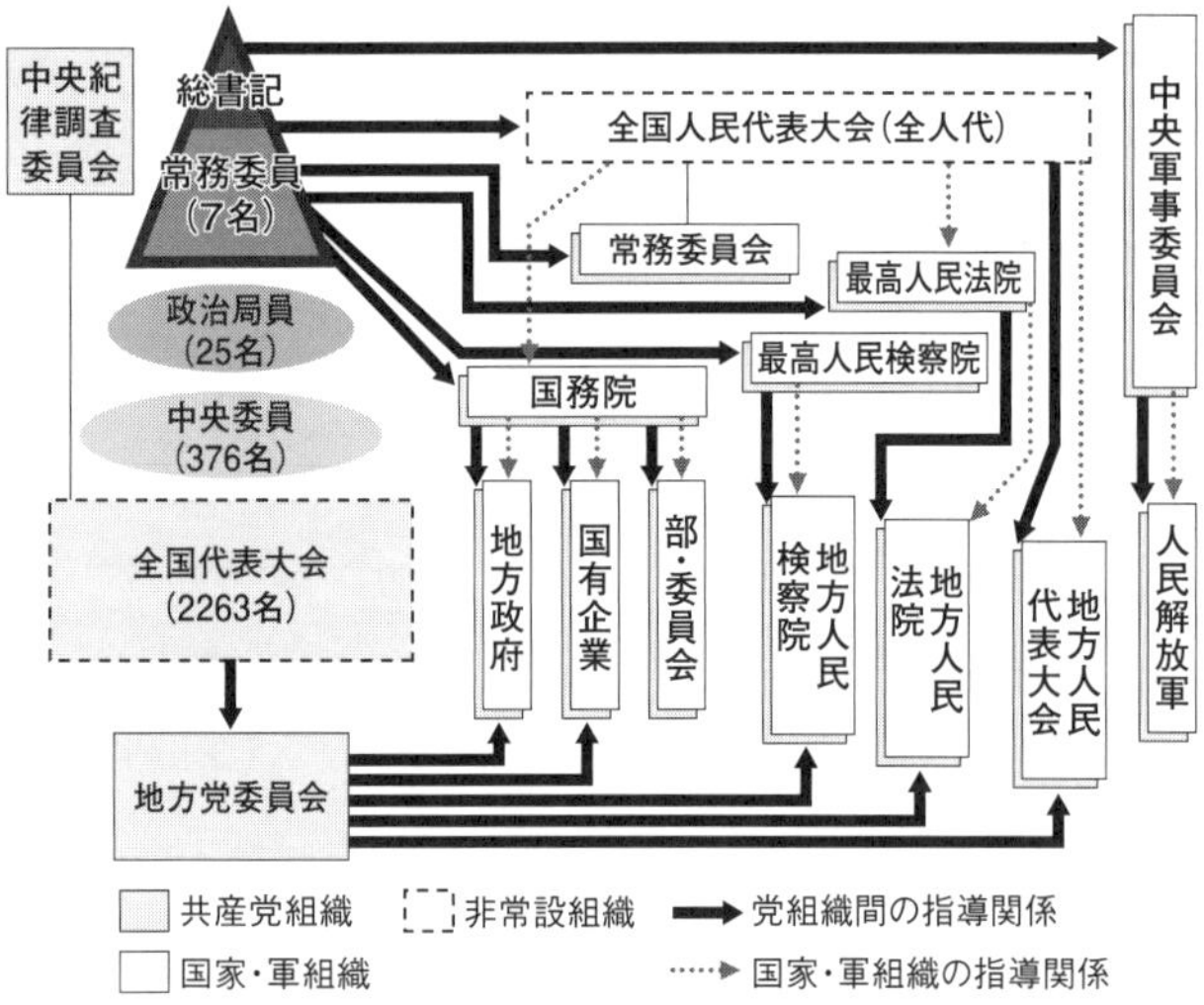

出典:日本経済新聞(2015年3月25日)の図をもとにSBクリエイティブ株式会社が作成

いのです。

　中国共産党は、ピラミッド型の組織で、しかも、国家の官僚機構と別組織です。国家に対してブレーン以上の役割をする。

佐藤　国家の官僚機構の上位にあって、国家機構自体を乗っ取っているのではなく、別枠に存在するわけですね。

橋爪　そうです。ナチスと似ています。党が国家と別にある。ソ連も似てます。国家機構と党が別で、党が国家を指導するんです。ナチスもソ連も中国も、この点は同じです。

さて、中国の党組織には、トップがいます。どの部局や部門にも、必ずナンバーワンがいて、以下、ナンバー2、3……がいる。必ずしも、合議制ではない。合議制にみえても、合議しているメンバーに順番がついている。このやり方は長い歴史と伝統があって、中国の人びとはこのやり方に馴れています。これ以外のやり方を知りません。

佐藤　ソ連・ロシアと中国のシステムは、重要なところで違いますね。ソ連でもロシアでも、いわゆる独裁者というのは実は生まれづらいのです。スターリンもゴルバチョフもプーチンも、独裁者ではありません。ソ連・ロシアのエリート層には、いくつかのグループがあり、そのすべてが特定の人物を独裁者のように見せることに利益を見出すという一種の均衡が生まれたときに、ソ連型、ロシア型の独裁者が生まれるのです。これは帝政ロシアのころからです。

橋爪　なるほど。独裁者が「ときどき」出てくる、のですね。

佐藤　はい。ですから、その均衡が崩れると、独裁者の権力も崩れます。

橋爪　中国の場合、トップはときどきではなく、必ずいます。それから、対立するグループ（党）が、必ず存在します。「**党**」はもともと、官僚機構のなかの人脈で、トップと考えが合わない場合には、主流でない党は、存在しないかのように姿を隠します。

佐藤　それはロシアと一緒だと思います。ただ、完全に隠すのではなく、「自分たちとしてはここまで」という歩留まりをつける感じですね。

橋爪　中国では基本、反対していることを隠します。で、トップが交代するルールがないから、政変が定期的に起こります。

佐藤　ロシアもまた、憲法上、交代するルールを定めても、結局は憲法改正するという形になって、事実上はルール自体がないに等しい。実はプーチンは辞めたくて仕方がないのですが、誰も辞めさせてくれないわけです。

橋爪　習近平は、自分から二期一〇年のルールを外してしまいました。後継者も指名していません。独裁者に近づいている。中国にとってマイナスだと思います。**予測可能性が低くて**、アメリカから見れば、あってはならない政権です。

佐藤　それはそうでしょうね。

橋爪　専制主義で、われわれ民主主義とは協調も共存もできにくいと、トランプが言ったし、バイデンもそう考えている。これはアメリカのコンセンサスになりつつあります。

佐藤　そのとおりだと思います。価値観、宗教の違いに近い問題と考えられます。

橋爪　なぜこれがここまで大きな問題になるかというと、中国が、国際ビジネスのプレイヤーだから。国際ビジネスのプレイヤーなのに、全く違った前提で動いているのです。

佐藤　よくわかります。

国際経済を迷走する日本

橋爪　じゃあ、日本の話を少ししましょう。

日本でもアメリカでも、ほぼすべての先進国で起こったのは、**中流階層の解体**です。これは、経済のグローバル化の副作用なのです。

佐藤　そのとおりですね。

橋爪　中流階層とはどういうものだったか。製造業中心の大企業が経済を牽引していた。大企業は競争力があって、国内市場を支配できます。本社にはホワイトカラー、現場にはブルーカラーがいる。ブルーカラーは、中小企業のブルーカラーよりも生産性が高い。

佐藤　確かに。

橋爪　大企業は利益をえる。本社に集まっているホワイトカラーが利益を分け合う。ブルーカラーは労働組合に集まって、賃上げを要求する。それに応える余力が大企業にはあった。だから、ホワイトカラーもブルーカラーも、子どもを大学に行かせたし、郊外に一戸建て住宅をもてた。中流階層になれた。そのライフスタイルが広まった。アメリカの繁栄は一九五〇年代に、日本は一九七〇年代から九〇年代に、ピークを迎えました。

企業が生産拠点を海外に移し始めると、勤労者は打撃を受けます。まずブルーカラーが失職する。ホワイトカラーもリストラされる。日本でもこれが起こった。小泉改革は、正社員を守ろうとした。そこで、派遣や非正規を増やし、人件費を圧縮しました。若い人びとはしわ寄せで、親並みの生活が望めない、結婚できない状態になった。アメリカやヨーロッパも同様です。

この流れは、なお進むと思います。大企業のホワイトカラーもやがて一掃されます。この流れは、IT革命とシンクロしています。

IT革命の本質は何か。つぎのように考えられます。市場では、まず第一段階として、契約をする。第二段階として、契約を実行する。第一段階は情報です。情報なので、コンピュータに乗りやすい。昔は人間が対面で交渉し、本社もあった。そんなものが必要か、という話になるのです。第二段階では、実物が動きます。大量のモノと人が動きます。これを広域コントロールして最適化するのは、コンピュータが得意です。ばらばらに動かすより、マーケット横断的にプラットホームをつくれば合理的です。そこで会社ごとの物流がやせ細っていく。これがいま起こっていること、Ａｍａｚｏｎというものだと思います。日本には宅配三社があって、コンビニを基点にしています。Ａｍａｚｏｎのほうが進んでいます。進化形ですね。そして、国際的です。途上国でも、トラックさえあればＡｍａｚｏｎはできる。

これが日本にどういうインパクトを与えるか。**東京一極集中は時代遅れ**になります。

東京はなぜ存在したか。情報の中心で、物流の中心で、集積効果があったからです。教育にも消費にも便利で、働き場所もある。その働き場所（都心）に通勤できるように、郊外に向かって住宅を建てていった。ベッドタウンはいま空き家です。タワマンが一戸建てより好まれた。通勤時間がかからない。見栄えもいい。今さえよければいい、という考え方です。すぐ陳腐化して、資産価値のない物件になるでしょう。

東京に住むメリットはほぼなくなって、これから東京が縮小し、全域に分散する方向に進む。ホワイトカラーはいらないからです。

というふうに、日本はスカスカになっていって、付加価値をどこで生産するのか、という話になる。こういう見立てですが、どうでしょう。

佐藤　東京の位置付けについては、私は少し違う見方をしています。

たしかに東京の空洞化は、ある程度進むでしょう。乱立しているタワーマンションも、いくらかはスラム化すると考えられます。ただ、六本木ヒルズをはじめとした特定のタワーマンションや、築年数が古くてもデザイン的・歴史的価値の高い、いわゆるビンテージマンションに住める「中の上」以上の人々、**富裕層は東京から動かない**でしょう。その最大の理由は何かというと、皇居が東京にあるからです。これは私の皮膚感覚なのですが、皇居なりバッキンガム宮殿なりクレムリンなりの5キロ圏内に、政治、経済、軍事、国際、あらゆる情報が集中します。いくらインターネットがあっても、人と人の間で直接かつ即時的に交わされる生きた情報の価値というものがある。ということで、東京の空洞化は程度問題になると見ているのです。

橋爪　そうかもしれません。でも、職もなく生活費も高いと、とても住めませんね。

佐藤　ですから東京に住むのは、富裕層と、その富裕層の生活を支えるエッセンシャルワーカーになっていく。「富裕層の東京」と「スラム化する東京」が、同じ東京の中で道ひとつ隔てて共存していくのではないかと私は見ているわけです。

　また、先ほどＡｍａｚｏｎにも触れられましたが、着々と力をつけているＧＡＦＡ（Ｇｏｏｇｌｅ、Ａｐｐｌｅ、Ｆａｃｅｂｏｏｋ［Ｍｅｔａ］、Ａｍａｚｏｎ）に関しては、ある時点で国が公権力の暴力をむき出しにして、解体に乗り出すと思います。あくまでも印象論の段階ですが、これらの企業がいくら人々の生活の合理性や効率性に寄与するものであるとしても、力をつけすぎる前に分割されていくのではないかと。

橋爪　そういうことを言い出す政治家が、必ず出てきそうです。

佐藤　実は私も、そう思っている一人です。

さて、もう１つ皮膚感覚の話をすると、先ほど挙げた「中の上」、年収でいうと二千万〜三千万円くらいの層は、中産階級の没落と共に分厚くなっている感じがします。

たとえば、このコロナ禍で社用の会食がほぼゼロになり、ホテルのレストランなど高級店も多くが休業している。たまに営業しているレストランに行ったりすると、客の大半はプライベートで来ている様子です。会社の経費ではなく、自費で高級レストランに行く。それができる層ですね。

また、私が教えている同志社大学の学生には、年に１０００万円単位の仕送りを受けている学生がいます。慶應義塾大学で教えている先生に聞いても、ブラックカードを持っているなど、明らかに富裕層の学生が増えているという話です。同志社の標準的な学生を見ても、下宿生ならば学費を含め年間３５０万円程度の仕送りを受けないと専門書を買ったり、語学学校に通ったりすることができません。事実、これくらいの仕送りを受けている学生が少なからずいます。そうなると、私が教えている学生の多くは大学院まで行きますから、教育に1500万円ほどを投入できる家庭でないと難しい。

橋爪　アメリカの大学にも、富裕層の学生がゴロゴロいて、似ています。

佐藤　ただし、それほどの額を投入できる富裕層はやはり限られています。そうなると、我々の世代よりも、次の世代のほうが高等教育を受ける人の割合が減る。そういう教育の右肩下がりの時代に確実に入っているという強い皮膚感覚がありますね。

橋爪　その危機感が日本は足りませんね。その話を、つぎにしましょう。

グローバル経済の行き着く先

橋爪　グローバル化が進んでいくとどうなるか。

経済学には、古典的な理論があります。リカルドの、比較優位説です。それを洗練させたのが、ヘクシャー、オーリン。二人とも、スウェーデンの経済学者です。P・A・サミュエルソンがこのモデルをさらに洗練させて、ヘクシャー＝オーリン＝サミュエルソンモデルにしました。**国際貿易の基本定理**です。結論はこうです。

自由貿易を進めていくと最終的にどうなるか。モデルの前提は、各国間で資本や技術の移転はなくて、生産物を輸出入するだけ、というものです。それを続けていくと、何と、各国の**要素価格が均等**する！　要素価格は、生産要素の価格のことで、土地／資本／労働の価格です。つまり、地代／利子率／賃金。これが均等になる。サミュエルソンの論文の証明を読みました。証明はいろいろ前提を置いてあり、ちょっと非現実的な前提もある。大事な結論だけ言えば、ポイントは、賃金が世界中で均等すること。これが国際貿易の最終到達地点なのです。つまり、先進国〜新興工業国〜発展途上国〜最貧国の違いがいまあるとしても、自由貿易を進めれば、最終的には賃金が均等になる。所得が均等になり、貧困や格差の問題はいずれ解消する。こういうハッピーシナリオが描けるのです。

佐藤　裏を返せば、全員が等しく貧困になるとも言えるわけですね。

橋爪　それもありえます。この証明は、いろいろな隠された前提があって、非現実的なのです。まず、将来と言っても、二〇年後かもしれないし、二〇〇年後かもしれない。

現実のグローバル経済では、商品を輸出入するだけではなくて、資本も技術も移転するので、賃金の均等化はもっとすみやかに進む、とも考えられます。

さて、賃金が均等になっていくとは、先進国の労働者の賃金が、後発国の賃金に合わせ

て、下向きに引っ張られるということです。そのため、中流階層は存在できなくなってい
く。これは、世界の人びとの所得が上昇するためのコストなんですね。日本の「失われた何十年」の正体はこれです。現状の生活や社会保障を維持するのがむずかしくなる。

そこで、日本が取りうる戦略はあるのか。

世界で賃金が均等に向かう、と言ったけれども、これは単純労働の話。教育も技能も世界中おなじだ、という仮定のもとでの話です。

佐藤　要するに、代替可能な労働については賃金が均等化するということですね。

橋爪　そうです。では、付加価値の大部分はどこに集中するかと言うと、**先端技術**です。今までになかった製品をつくりだすと、先行者利得を独占できる。値段はつけ放題で、みんなが買ってくれる。そういう黄金時代が三年か五年か一〇年続きます。そのうち後発の模倣品が出てきて、値下がりしますけど、それまでに、つぎの先端技術に進むのです。これをやり続ける。

佐藤　マルクスでいうところの「**相対的剰余価値の創造**」ですね。労働時間は同一という前提で生産力が向上すると、時間が余る。その剰余労働時間に生まれる価値＝相対的剰余価値をいかに創造していくか。

橋爪　それをやり続けるための拠点は、大学です。大学は、採算と関係なく、基礎研究を進め、いま存在しない新技術を生み出していく、イノベーションの揺り籠です。

　この大学がどれだけあるかで、グローバル経済を支配する力が決まります。どこに大学があるか。アメリカにあります。それからEUにあります。日本にもあるけれど、弱いんです。数が少ないうえ、レヴェルに問題がある。中国、インドはどうか。中国は大学が急速に増えていて、レヴェルも年々上がっています。資金も豊富です。なかなか手強い。インドも、インド工科大学とかいろいろあって、最近レヴェルが高まっている。これもなかなか手強い。

　そこで、アメリカ、EU、日本、中国、インドの大学の競争になります。その中でいちばん弱いのが日本です。だから、日本の前途は厳しいと考えなければならない。では、日本にチャンスが残っているのか。

　大学が基礎研究で成果を出しても、試作しなければならない。原型をつくり、資本を集めてベンチャー企業を起ち上げ、育てていく。その試作の段階が、日本は強いと思う。中小企業があるからです。

佐藤　匠の技の世界ですね。

橋爪　大学や研究機関と結びついている**町工場**が沢山あって、世界でもトップクラス。だから捨てたものではない。

　でも油断はできない。アメリカ、中国には、軍がある。軍は、まだ存在しない製品を試作して、実戦に配備するのです。軍需産業の特徴は、コマンド・テクノロジーというのですけれど、まず注文があり、軍需産業に試作と製造を請け負わせる。

佐藤　しかも企業同士で競争させます。戦前の日本でも、たとえば同じ航空機のオーダーを三菱と中島飛行機に出して、試作品を競争させていました。

橋爪　アメリカや中国に、町工場は沢山ないかもしれないけれども、試作と実用化のシステムは持っている。それなりに手強い。アメリカが、基礎技術を産業に結びつけるのが得意なのは、こういう理由です。

　中国も、これが得意になってきている。なぜか。共産党がひと声で、資金も技術も人材もあっと言う間に集めることができるからです。共産党は、全中国の人事権をもっているんです。これが図星にハマった場合には、アメリカ以上の効率とスピードがある。

佐藤　まったくそのとおりです。このコロナ禍でも、中国政府は、たとえばアリババに大号令をかけて、一人親家庭の親や失職者を雇用させました。これは一種の福祉政策で、そ

済を押し下げる要因になると中国政府は思っていた。ところが実際には正反対でした。当然ですが、職を得た人たちは消費します。それが２・３％の成長率につながったわけで、中国共産党としては想定外の結果になったんだとジャーナリストの富坂聰《さとし》さんが指摘していました。

橋爪　なぜそれができるか。一人ひとりの**個人情報**を政府が持っているからです。この人は一人親だ、高校中退した、無職です、母親の看病をしている。じゃあアリババのパートタイムの仕事を回してやれ。こういうＡＩか何かがやっている。その基礎になる個人情報を一カ所に集約していれば、最適解が出せます。だから、超福祉国家ですけれど、超独裁国家ですね。

佐藤　大統領選挙の集計だって大変な国ですからね。

アメリカも一人一〇〇〇ドル払いますをやってるけれど、そこまでキメ細かくない。

教育に、戦略投資せよ

橋爪　というわけで、日本にもチャンスがないとは言わないが、細い道です。

まず第一に、危機感がない。大学を強くしようという戦略がない。大学のことを、文部科学省なんかに任せてはいけない。

佐藤　私も同意見です。大学自体に自己改革する能力がないというのも問題です。

橋爪　政府の思いつきのとんちんかんな例を挙げると、海外では博士号を持っている人が多い。日本は少ない。何をしたかというと、大学院の定員を増やして、博士号を量産しようとした。適性のない人も大学院に進学して、学位は取れたが就職先がない。その先はつくってないんですから。

佐藤　私は今年、自分が受け持っていた大学生たちの卒業論文を『**学際的思考としての神学**』（K&Kプレス）と題して書籍化しました。修士論文以上の出来だったからです。しかし一般的には博士論文は修士論文程度に落ち、修士論文は卒業論文程度に落ち、卒業論文は高校生の作文程度に落ちている。博士論文の量産が全体の質を下げていると思います。

よく大学生と大学院生を一緒にして授業をしますよね。私も当初はそうしたのですが、大学院生のレヴェルが低すぎて、大学1、2回生に悪影響を与えると思いました。そこでいったん大学院生は受講不可とし、私が1回生から育てた学生たちが大学院に入り、これで講義の質を保てるということになってから受講可としました。日本の大学院の状態というのは、本当に悲惨なものです。

橋爪　それは、大学の定員を増やして、定員を埋めないとペナルティを科すからです。

佐藤　そのとおりです。

橋爪　そうすると、誰でもかれでも大学院に入れなきゃいけないわけです。東大でも似たようなことが起こっていて、東大は学部定員が一学年三〇〇〇人あまりですが、大学院修士の定員はそれより多い。東工大も、学部は一〇〇〇人ほどだが、大学院修士はそれより数百人多い。大学院のほうが入りやすい。ほかの大学は推して知るべしで、スカスカになるんです。

佐藤　私が見た限り、数学で高校レヴェルの学力欠損、あるいは文系で受験した場合は中学レヴェルの学力欠損が見られる大学生が多い。そのままでは神学の講義にも差し支えるので、１回生の講義では、全学生の数学レヴェルを高校修了レヴェルにまで持っていくという作業に集中することになります。そのため数学のウェイトがかなり増えてしまいました。

橋爪　学力が足りないのはもちろん問題です。でも、その根源をさかのぼっていくと、学問への「動機」を育てるのに、小中学校でも、高校大学でも、失敗している。学問をしても、自分のプラスにならないと思っているわけです。

佐藤　そのとおり。勉強が嫌いになっています。

橋爪　やらないですむなら、それに越したことはない、と思っている。そんな気持ちの若い人びとに、あれこれ教えても効果ないです。

佐藤　ただ、ここで少し異論を挟むと、学部ごとの特性によって学生の意欲などが異なるというのもあると思います。

私が見ている学生たちは、最初からやりたいことがあって、それを学ぶにはどこに行けばいいかと戦略的に考えて来ています。ちょっと珍しいことを学んでやろうという、奇をてらうタイプの学生もいる。いずれにしても非常にしっかりしていて、もともと学ぶ意欲も高い。だから、今の大学生は学問に対する動機が弱いというのは、ほかの学部の先生からはよく聞くのですが、実は、私の皮膚感覚としてはあまり実感のないことなんです。

橋爪　おしなべて駄目、と言うのではない。どんな時代にも、必ず希望に燃え、将来のある人びとはたくさんいる。そうでなければ世の中が終わる。

佐藤　橋爪先生のところに集まっている学生たちも、きっと意欲が高いだろうと思いますが、それを基準に考えると見方を間違えてしまいますね。

橋爪　そういう、希望の火はどこかにささやかに燃え続けている。でも、全体として言えば、評価がなっていない。ちゃんと学んだら報われる、という仕組みになっていない。

佐藤　結果、変なメリトクラシーになってしまっていますね。メリトクラシー＝能力主義といえば聞こえはいいけれど、勉強することそのものの価値は不当に貶められているという、誤った方向になっています。メリトクラシーが暴走している感じですね。

橋爪　教育でいちばんあってはいけないことです。

これを、どうやってリセットしたらいいのか、難しいけれども、まず問題がある、そして目標がある、と人びとが肝に銘じること。それが、日本の産業と社会の死命を制することなのだと、よくわからなければならない。大学は、とても、とても大事です。

佐藤　そう思います。また、約半分の人が大学に行かないことを考えると、**初等・中等教育の制度設計**も重要です。日本は未だに生徒を偏差値で輪切りにするようなやり方を続けていて、生徒たちはクイズ型・パズル型の勉強に疲れている。ここで勉強嫌いになるわけです。

必要なのは初等・中等教育の教員の強化だと思います。教えるのが好きな先生、教えるのが上手な先生に教われば勉強が好きになるでしょう。すると学ぶことが楽しくなり、学べば学ぶほど自分の手で自分の人生を切り開けるようになり、稼ぐ力なども強くなって、生きるのが楽しくなる。そして生きるのが楽しくなれば、次世代を生み出したくなるはずです。

つまり端的にいえば、教育をよくすることは人口増にもつながるんです。若い人たちが子どもを持ちたがらない一因は、子育てにかけるお金がないことに加えて、自分自身の充実感や幸福感が低いことでしょうから。いわば「不幸せの再生産」をしたくないと潜在的に感じている。そういう意味でも、初等・中等教育の段階で、いかに勉強好きな子を増やすかが問われていると思いますね。

大学に話を戻すと、小さな活動ではありますが、私は今、日本の意思決定の中枢にいる人を大学に呼んで講義してもらっています。たとえば内閣官房のある部局など、２００人くらいしかいないような現場の話です。権力の中枢にいる人たちがどういう仕事をしているのか、あるいはどのような学問的ニーズがあり、何が足りないと考えられているのか。そういう質の高い話ができる政府の人間とアカデミズムの交流を少しずつ進めておかなくてはいけません。

橋爪　おっしゃるとおりですね。

産業にとって、物理、化学、バイオなど、先端技術の創造的な担い手がいちばん大事です。けれども、それを実際に社会に広めていくためには、経済や政治や、哲学や文学や教育や、そういう多彩な専門家がチームになって、大学として動かなければやっぱり駄目なんです。日本の大学は、どれもみんな弱い。

佐藤　そう思います。新しいことをやることに抵抗する理由をみつけるのは、みんな非常にうまいですからね。

橋爪　そうです。やらない理由ならいくらでもみつかる。

　アメリカも、大学はかなり問題含みだが、それでも、野心満々の若者がそれなりに集まってきている。才能があって超人的に努力すれば、誰でも評価される仕組みがある。

佐藤　だから、世界中から同時に人が集まってきます。しかも、たとえば同志社大学だと年間350万円くらいかかりますが、一定の能力のある学生ならばアメリカやロシアで奨学金が取れます。決して裕福な家庭でなくても、経済的な苦労をせずに学べる可能性が開かれていますね。

橋爪　それはとても大事なことで、そこを手厚くしなければいけない。正しく使われた奨学金は、その学生が活躍して、一〇倍、一〇〇倍になって、社会に還ってくるものなんです。こういう、いろはの「い」もわかっていないひとが多い。

佐藤　先日のことですが、二〇二一年の1回生と、オンラインでこんな話をしました。コロナ禍で大学が閉鎖したことを受けて「授業料を返せ」と主張する学生がいる。それについてどう思うかと聞いてみると、同調した学生は1人もいませんでした。

たとえばスポーツジムが1ヶ月間、閉鎖になったら会費1ヶ月分を払い戻したり、閉鎖解除後の1ヶ月間を無料にしたりする。これは会員がスポーツジムの「消費者」だからです。

では大学はどうか。自分たちは大学の「消費者」なのか。いや、大学という「知の共同体」の一員なのだから、不測の事態に際しては、みなで負担していかなくてはいけないはずだと、そんな議論になりました。こうした、いわば公民的な教育が行き届いていないことが問題だと思います。

橋爪　おっしゃるとおり。先進国の戦略の核は教育である。

教育は本人にも社会にも付加価値をうみだす。人間らしい生きがいのある人生を、多くの若者に提供できる。日本もそうならねばならない。

公共を支える気概

佐藤　ただ少し心配なのは、自分は努力を積んで成功したところで、ほかの人は努力が足りないと見下したり貶めたりするような、つまらない人間が生まれる危険があることです。

それを防ぐには、やはり、古い言葉ですが「**ノブレス・オブリージュ**」といった意識をいかに持たせていくかというのも課題ですね。財力や権力、社会的地位など「持てる者には責任がある」という教育です。

それがないと、持てる者はおごったり、ひがみの対象になったりしてしまう。実際、「エリート」という言葉が、ここまで響きが悪く、「嫌なやつ」の代表のように受け止められているのは日本くらいのものかもしれません。たとえばロシア語で「エリート」といえば、きわめて中立的な概念です。

橋爪　そういうひがみっぽい人間が増えるのは、若いうちに、成功体験を味わえる場所がないからだと思います。

江戸時代には儒学があった。儒学はいう、すべての人間がリーダーになるのではない。選ばれた者が、努力してリーダーになるのである。儒学のいちばんの特徴は、どんな田舎の、貧しい農民でも、学問すればどこまででも行けるということです。儒学には身分がない。日本には身分の壁があった。でもないのが正しい。日本で儒学を勉強した農民や町人は、もう体が震えるほど感動したのです。儒学を学ぶ限り、武士も農民も町民もない。そして、農民や町民の中から名のある儒者が出てきます。彼らは教える側になって、先生とよばれ、武士や大名に講義をする。これは本来、身分社会ではありえないことでしょう。でも、幕府が儒学を推奨したおかげで、こういう状況が生まれた。中国ではこれは起こらないと思うんだけど、日本では、学問と政治は無関係なので、これが起こった。アカデミズムに近いものができた。その教えを心に刻んで、日本国の建設に立ち上がった若者が何万人も出てきた。これはノブレス・オブリージュですね。命がけですから。

佐藤　そのシステムは、我々の世代でも若干はありました。

私も、もし同志社大学神学部の大学院だけ出ていたら、あるいはほかの大学に入り直してマルクス経済学を勉強していたら、もう少し世の中を斜めから見るようになっていて、教育にもそれほど情熱を持てなかったんじゃないかと思います。

でも外務省に入ると、外交官を一人養成するのに3000万円くらいかかる。私の場合、イギリスの陸軍語学学校に行かされ、モスクワの国立大学に行かされ、どこでも日本の外交官として非常に恵まれた環境で勉強できました。モスクワでは、のちにエリツィン政権やバルト諸国の幹部になってくるような人たちと知り合い、彼らの生き方や勉強にかける意欲に感化されて、こちらも負けていられないとますます勉強に身が入る……という第二の青春があったんです。

その後、大使館勤務が始まり、教わる側から教える側になりました。と同時に科学アカデミーに所属して自分の勉強も続けました。日本ではこうした経験はしませんでしたが、私はロシアでエリート教育を受け、ノブレス・オブリージュとは何かということも学んだ。これは私にとっては非常に大きなことでした。

外務省に入って以来、自分が学び得たものは、すべて国のお金で賄われました。つまり国民の税金で育ててもらったわけだから、今度はそれを国民に還元しなくてはいけない。自然とそういう意識が働きます。

そんな中で事件に巻き込まれ、自分の身を守ることに必死で外務省とも検察とも喧嘩したわけですが……。しかし、そうなったところでやっと、ある意味、地金が出てきた。それまでの立場が取り払われて初めて、自分のもっている諜報やロシアに関する専門知識が、自民党政権だろうと民主党政権だろうと役立てることにつながったわけです。

政府の役職についているわけでなくとも、かつて政府から多くを与えてもらった身から見ると、政府の人間が何を考えているのかはだいたいわかります。するとお互いに目つきがよくなって、入ってくる情報の質も変わってくる。当然、見方も変わってきますね。

話を戻しましょう。教育の問題からノブレス・オブリージュの問題まで、橋爪先生が今おっしゃっていることは、いわゆる官邸官僚の人たちも、かなり近い認識をもっていると思います。危機感はある、しかしどうしたらいいか、具体的な方策がわからなくて苦悶している。おそらく、そういう状況でしょう。

橋爪　それなら、やっぱり中国に負けてしまうと思うな。

佐藤　そう思います。中国は層が厚いですし、しかも習近平のトップダウンで、自分たちの弱さをも明らかにして邁進できる底力がありますからね。一方の日本は虚勢を張っている。あたかも問題がないがごとく。

橋爪　中国にはよくも悪くも、共産党がある。そして、自然科学者も、社会科学者も、みんな共産党員なんです。共産党から声がかかると、ブレーンとして、党員としての資格で政府に参加していける。このやり方が機能している。

日本で、官邸官僚が孤立していて、アカデミズムのいい情報が入ってこないとか、具体的なアイデアがないとかいう問題は、解決の方法があるのです。日本には、共産党がなくて、つくるわけにもいかないが、それに匹敵するやり方を始めないといけない。

佐藤　いや、それを阻害しているのが日本共産党なんです。日本学術会議の一件にしても、あんな機能していない組織の人事問題など静かに解決すればいいだけなのに、「しんぶん赤旗」が騒ぐので難しくなってしまった。こういうところに無駄なエネルギーを注ぎ込むのはどうかと思います。当事者にとっては深刻でしょうけど。

橋爪　なるほど。でも、先を見ましょう。

佐藤　先を見ないといけないんですよね。教育について、ここまでくるともう手遅れだと言う人がいますが、そんなことを言ったら本当に終わってしまう。手遅れなんていうことはないんです。

橋爪　比較的最近まで、日本でも、志をもって学問をするという若い人びとが、大勢いたと思います。六〇年代まで学生運動があったじゃないですか。学生運動は、いろいろ問題もあるんだが、ノブレス・オブリージュに支えられてはいたんです。

佐藤　それはあった。その残滓たる時代のことですが、私も全学バリケードストライキなどが起こると、休講をいいことに「じゃあ、今日はバクーニンを読んでみよう」とか「オルテガを読んでみよう」とか、普段は読まないような本を読み漁ったものです。神学部の自治会のメンバーとも、よく一緒に本を読みました。たとえば『キリスト教の精神とその運命』など初期のヘーゲルをはじめ、重要な本はほとんど自治会のメンバーと読みましたね。

橋爪　私も当時は切迫感にかられ、必死に読書しました。

でももう学生運動もないし、そういう切迫感もない。それでも日本がやっていくには、大学をはじめ、中枢となる知的セクターに集中的に投資していかないと、二流国になり下がるところまで追い詰められている。

佐藤　そう思います。

橋爪　でも、すべての日本人が、中枢の知的セクターで働くわけではないんです。

佐藤　そのとおりです。**付加価値**を付けなくてはいけないといっても、全部が全部、高度な専門知識や専門能力によるわけではありません。裏を返せば、いろいろな付加価値の付け方、伸び代がありうるということです。たとえば、地方の零細企業が未だに江戸時代の商家で用いられていた大福帳で帳簿をつけているとする。それをちゃんとした簿記に改善するだけでも、その場所では付加価値になりうる。いろんな改善の余地があるわけです。

もう1つ例を挙げると、やはり本書の第4章で述べる「マイルドヤンキー」ですね。

率直にいって学歴は高くない。しかし地元のニーズを皮膚感覚でつかむなどして、一緒に育った仲間と連帯して介護施設をつくったりパン屋を始めたりと地元経済を支えている。ちなみに、昔の米は糖度が低くて、小麦製のパンのほうが甘かったから、実は高齢者にはパン好きが多いんですよね。こうしたニーズも感覚的につかんでビジネスを展開しているんです。そういう層が自然発生的に生まれている。これは知的セクターとの優劣や上下ではなく、棲み分けないといけないということです。

橋爪　そうなんです。誰もが、人生に目標をもって、充実して健康で、人間らしく、安全に生きていきたい。これをどんな状況でも実現していく戦略も、必要なんです。

その戦略は、どんな問題なのか。経済の問題であって、経済の問題以上だと思う。人間がやってる大事な活動は、家族や生活であっても、経済の付属物じゃない。経済にくっついているけれども、マーケットじゃない。

佐藤　それをマーケットと呼んだら、家族の解体になってしまいます。

橋爪　教育は？　教育はお金がかかるから、マーケットに関係はするが、マーケットの話じゃない。教育には教育の原理がないとダメ。医療は？　医療もお金や、人員がかかる。

だから、労働や医療サーヴィスのマーケットの話になるんだけど、これはマーケットの話に収まらない。医療には医療のコンセプトが必要だ。

佐藤　今は形骸化している「**ヒポクラテスの誓い**（古代ギリシア時代に作られた、医師の倫理感などにまつわる神々への宣誓文）」のようなものが非常に重要ですね。

橋爪　はい。医療には医療のモラルや倫理、独自の原理が必要です。

それから大事なのは、行政です。政治です。誰かが公務員になって給料をもらう。つまり労働です。だけど、行政や政治は、マーケットの外側に立つ存在です。公共性を体現して、人びとのために活動するのが公務員。これにも原則が必要です。

日本人はいつの頃からか、経済さえよければ、と思うようになった。でも家族、教育、福祉、行政……がしっかりしないとダメ。それがどう結びつくかのビジョンも必要です。

佐藤　そう思います。「公務員の勤務時間が、過労死ラインとされる月80時間を超えている」なんて騒いでいる行革大臣がいましたが、だからといって一概に労働時間を削れというのは無理筋です。同じ公務員でも現業に限りなく近いことをやっている人もいれば、総合職、高度専門職に就いている人もいて、それぞれ必要とされるものは違います。

私がイギリスの軍事学校でロシア語を勉強したときには、毎日、8時から12時までは文法、13時から16時までは会話、さらに6～7時間は費やさないと終わらない宿題が毎日出ました。もはや肉体労働でしたが、やらないと身につかないので、約10ヶ月間、土日も返上して勉強しましたよ。それが「働き方改革だから8時間以上は勉強できません」となったら、日本の外務省でロシア語を使える人なんて一人もいなくなるでしょう。外交官だけでなく、弁護士や公認会計士など、高度な専門知識を必要とする職業は、おおむね同じだと思います。

在職中にどんな法律を作ったのか。どういう交渉を重ねて、どんな条約を諸外国と結んだのか。こういった点で業績のある人は、やはり死ぬほど働いています。日本もアメリカもロシアも、どこの国も同じ。なぜなら、そういう仕事だからです。「何時間以上働いたら過労死する」ではなく、「何時間働いても過労死しないように健康管理する」、それも役人の実力のうちという話になってくる。そういう世界があるということを認めなくてはいけません。

ところが今は、キャリア公務員の教育でも、きっかり17時で終了です。そんな働き方改革をしているうちに、あと5年もしたら、スポイルされて使いものにならない人材ばかりになる。そこで間違いに気づいて、きっとまた元に戻るでしょう。このように公共任務を担うところ、特に専門知識が必要なところでは、何をどうやらなくてはいけないかは自明のことなんですけど、それがちゃんとした議論になっていない現状は考えものです。

哲学が、経済と社会を支える

橋爪　マーケットを動かすのはわりに簡単なんです。利益で動く。けれども、家族や教育や医療や行政をどう動かせばいいか。もうかればいいみたいな単純な指標がない。

佐藤　そのとおりですね。

橋爪　指標がなくても、これがいい、これがよくないと決めなければならない。それを決める根拠は何か。さかのぼれば、これが正しいのだと考えぬいた、確信でしょう。その考え抜いた確信を、一人で思うだけじゃなく、みなで議論して、合意する。こういう活動を**哲学**とよべば、哲学は、誰にでも理解できるものでなければならない。

そして、教えることもできなければならない。議論して変えることもできなければならない。そして、正しいということをいつも検証しなければならない。

こういうことを社会全体として共有する仕組みが必要だ。その努力が足りない。それなしに政党なんかつくっても駄目だ。

佐藤　要するに「**反証主義**とは何か」を理解していない人たちが、今の政治家の大多数なんだと思います。文明人として政治を執り行なうのなら、反証可能性というものを常に意識し、議論し、いくつもの反証テストを経て最終的に生き残った選択肢をとっていくという姿勢でいなくてはいけない。胆力も必要です。ところが反証主義を理解していない大半の政治家たちは、「自分は絶対こうだと思ってるんだ」という声が大きい者、暴力的な素質を持つ者が勝つ世界に生きている。はっきり言って野蛮人の社会です。

橋爪　そのとおりです。

佐藤　何かを決めたり変えたりするには、議論を戦わせなくてはいけませんし、それには**価値観**も必要です。そして、その価値観とは突然降って湧いてくるものではなく、歴史的な検証を経て、みずから練り上げないといけません。

橋爪　哲学が必要なのですけれど、歴史も大事なのです。こういう比較的恵まれた状態になるために、先人がどれだけ苦労して、どういう犠牲を払って、何を諦めて、ここまでたどり着いたのかを覚えてなかったら、今を記述することさえできない。

佐藤　ただし厄介なことに、歴史というと、近年のブームは「実は……」という類ですね。たとえば「実はコミンテルンの陰謀でルーズベルトは日本の真珠湾攻撃を容認してしまった」とか「広島の原爆は実はナチスがつくった」とか、真実の歴史はこうであるという話になってしまう。「歴史好き」という人の話は、こういう馬鹿げたものが8割ぐらいです。

橋爪　そういう知識には自分の血が流れていない。私のいう歴史は、その過去を自分の過去として生きているかどうか。

佐藤　そこで課題となるのが、**知識人の不作為**でしょう。

たとえば北関東あたりのコンビニ前でたむろしている若者たちは、地元愛があって仲間を大切にしていて、しかもそれなりに起業家精神もある。そういう人たちが東京に来て、ひょんなことで参加したセミナーで「真実の歴史はこうです」と吹き込まれて信じてしまう。

そういったことが現実に起こっている可能性がある。だとしたら、それはやはり、知的セクターのほうが、歴史とは何か、価値とは何かという作業を、もっと熱心にやらなくてはいけないということだと思います。

橋爪　やはり、哲学が大事です、歴史を含めてね。哲学をつくり出して共有する努力が、国を救う最後の切り札になる。経済に関してさえも。

佐藤　最後はそこだと思います。

では哲学とは何か。この点でコンセンサスがなく、宗教的な話に飛んでしまうと危ういですね。創造主は誰で、世界はこのように創られた、といった話になってしまう。そうではなくて、みなが**「哲学の言語」**で話せなくてはいけない。そのために「哲学の言語」を大学から社会へと広めていく。これは死活的に重要だと私は考えています。もちろん政治家だって、「哲学の言葉」で一定の議論ができなくてはいけません。

橋爪　哲学をつくれるかどうか。日本にはチャンスがあると思うが、マイナスもある。チャンスがあるとはどういうことかと言うと、自分の国の言葉で、ものを考えられる。それができる国ってそう多くないんです。英語は大丈夫です。フランス語、ドイツ語も大丈夫です。ロシア語もまあ大丈夫です。中国語もまあ大丈夫です。だけど……。

佐藤　第三世界のマイナーな言語で哲学的な思考ができるかといったら、難しいかもしれませんね。

橋爪　なかなか難しい言語が多い。たいていの言語は無理だと思ったほうがいい。

さて、日本語はまあ大丈夫。なぜかと言うと、日本語をヨーロッパ言語と整合させようと、幕末から明治にかけて大勢の人びとが努力して、基本語彙をうみだしたからです。権利とか、自由とか、法律とか、哲学とか、物理とか、国家とか。

佐藤　中国のプロテスタント神学校では、かつて英語で授業をしていました。やはり翻訳の問題で、まだ神学用語が中国語に訳されていなかったからです。授業が中国語になったのは二〇年ぐらい前なのですが、そこで使われている中国語の哲学・神学用語は、実は、日本語からの借用が多いです。

橋爪　でも日本は昔、漢訳の聖書にお世話になっていますから、お互いさまです。

佐藤　中国で細々としか続いていなかった学問的な神学が、改めてちゃんと始まったのは一九八〇年代、九〇年代ぐらいからなんですよね。

橋爪　社会学も同じで、レーニンが社会学を禁止したので、中国の社会学は一九八〇年代にやっと復活しました。

佐藤　モスクワ大学社会学部ができたのは、私がモスクワ大学に留学した一九八七年です。ソ連崩壊後、哲学部の科学的共産主義学科が政治学部になりました。だから、いまだに政治学部は哲学部の中にあるんです。

橋爪　いちばん大事なのは、**自国語**で何でも考えられるかどうかなんです。だから日本にはチャンスがある。

ピンチな点は、最近**カタカナ**が多い。カタカナは原語を知っていると何とかなるけど、たいていの人は知らないじゃないですか。すると言葉が意味不明になる。

佐藤　そうですね。たとえば「パフォーマンス」とはどういうことなのか、「インタラクション」とはどういうことなのか、カタカナ語ですませてしまうと、概念が曖昧なまま話したり聞いたりすることになります。

橋爪　そうです。カタカナを使ってすませるのは知的堕落です。儒学の教養も素養もないから、ぴったりの漢字を思いつかない。漢字は一字一字に意味があるから、熟語をみてもおおよそ意味がわかる。電気とか磁石とか南極とかね。でも、カタカナだと意味がわからない。専門家と一般人のあいだに知的ギャップが生まれてしまう。カタカナ混じりの言葉で日本人全体が議論するのは無理なんです。哲学をつくるのに障害になる。

中国はカタカナがないから、いまでも漢語に直している。日本より頑張っている。

佐藤　おっしゃるとおりですね。そもそも漢字かな併用制の中に、わからない単語を入れてしまってもかまわないという考えがあることがカタカナ語の氾濫につながって、よりタチの悪いことになっています。

それよりもさらにレヴェルの低いことが起こっていると思うのは、絵文字ですね。最近は編集者からもけっこう絵文字がメールで送られてきますよ。

それと、パワーポイントの多用によって、**体言止め**が主流になっている。実は官僚の教育では、「何かをごまかしたいときには体言止めを使え」と徹底的に叩き込まれます。要は、それだけ体言止めには文意をぼやかす作用があるということです。だから、字数の限られているパワーポイントで、文章をコンパクトにまとめるために体言止めを使っているうちに、時制などが怪しくなってくる。たとえば「善処。」と書いただけでは、「善処した。」なのか「善処しつつある。」のか「善処する用意がある。」のかわかりません。これも非常に問題です。

橋爪 漢字はそれでもまだいい。カタカナはすぐにでも退治しないと、将来に禍根を残すと思う。そういうあれこれを乗り越えて、哲学をなんとかつくりあげる。それが、経済を上向かせる根本の解決でもあるのです。

佐藤 哲学をつくるということに関して、私がぜひ挙げておきたいのは、『**評伝　小室直樹**』（ミネルヴァ書房）に出てくる橋爪先生のメモです。あれこそ、哲学そのものだと思います。

橋爪 どこがでしょう？

佐藤 「難しいことをわかりやすく、わかりやすいことを楽しく語る」ということが、哲学において行なわれているところです。小室先生一人だけでは、おそらくやりきれなかったところを、橋爪先生がテキスト化しておいた。それが哲学になったんだなと思いながら、私は読みました。

橋爪　好意的に読んで下さってありがたいのですが、まだ入り口にも立っていません。これからみなが取り組むビッグプロジェクトです。その頭出しを、この本でできれば。

佐藤　それは私も、ぜひ参加したいです。ちなみに『評伝　小室直樹』には一カ所だけ難があると思うんですよ。最後のほうで「夢の中の世界」が出てきたことで、ノンフィクションの約束違反になってしまった。あれがなければ、評伝として大きなノンフィクション賞を取っていたと思います。それにしても、なぜ著者が、あの話を入れることでノンフィクションの枠を壊したくなったのかという点には知的関心を抱きました。

橋爪　機会があれば伝えましょう。

佐藤　はい。繰り返しになりますけども、あの本を読んで、小室先生がソクラテスだとすると、橋爪先生は、ある種、プラトンの機能を果たされていたんだなと思ったんです。

まず言語化するという作業をする。これは、「学知」というものを世の中にどうやって生かすかという話です。私たちは、泣いても笑っても日本に生まれているわけですから、やはり日本の将来を真面目に考えなくてはいけない。中国がぐんぐん力をつけているからといって、下手にヤキモチを焼いたり卑屈になったりしても仕方がありません。

中国がここまでの力をつけたというのは、それ相応の努力をしたからです。ただし中国は大きすぎる。完全に呑み込まれてしまうというシナリオをとるわけにはいかない。ならば中国とどう付き合っていくか。それを考えるのは、今の日本の知識人の責任です。

だから学生たちには、特に学びたい言語がないのであれば、第二言語は中国語を選ぶように言っています。ところが私の学生たちは、「先生が直接教えてくれるから」といってロシア語かドイツ語を選んでしまう。「先生は中国語、わからないでしょ」と。

橋爪 中国語は、私みたいに四〇歳からでもできますから、大丈夫です。

第2章

科学技術の分岐点

——人類の叡智が、新しい世界を創造する

橋爪　この章では、科学や技術を切り口に、グローバル社会の将来を考えます。

脱炭素、待ったなし

橋爪　最初にとりあげるのは、**気候変動**です。日本では地球温暖化ともいいますね。

まず、問題の概略を説明しましょう。

国連にＩＰＣＣ（Intergovernmental Panel on Climate Change 気候変動に関する政府間パネル）が置かれていて、毎年一回集まり、温室効果ガス排出削減の取組みを進めています。このパネルは、世界中の科学者の集まりです。日本からも大勢参加しています。

なぜこんなパネルができたか。それはアメリカ政府の研究施設が、ハワイのマウナ・ロア山で大気中の炭酸ガス濃度の観測を始め、データを蓄積してきたことがきっかけです。一九五九年の濃度が３１６ｐｐｍだったのが、毎年およそ１・５ｐｐｍのペースで増え続け、二〇二一年には４１５ｐｐｍにもなっている。これと歩調を合わせるようにして、地球の大気の平均気温も上昇しています。炭酸ガスの濃度の上昇が原因で、気温が上昇しているのではないか。そこで国連に、政府間パネルが設けられた。世界中の科学者の連絡機関です。（空気の分子一〇〇万個に対して炭酸ガスの分子が１個あれば、１ｐｐｍです。）

大気中の炭酸ガス（二酸化炭素）は、温室効果といって、地球の熱を逃がさない作用がある。炭酸ガス濃度が高まって、温暖化が進んでいるのではないかと疑われます。温室効果のあるガスには、フロン、メタンなどもあります。フロンは、冷蔵庫の冷却装置に使われていましたが、最近は別なガスに代替されています。メタンは、汚泥や家畜のゲップから出ますが、わりにすぐ分解します。炭酸ガスは、化石燃料（石炭、石油、天然ガス）を燃やすと排出されて、かなりの長期間、大気中に滞留します。温室効果の主犯です。

九〇年代には温暖化への懸念が高まって、一九九七年に**京都議定書**が結ばれました。炭酸ガスの排出を削減するという各国政府の約束です。一九九〇年を基準にして、二〇〇八年から二〇一二年にかけて日本は６％、ＥＵは８％削減する、などと目標を掲げた。アメリカが離脱し、中国が加わっていないなど、あまり効果のない議定書でした。

炭酸ガスが温暖化の主犯であることは、世界の科学者の過半が同意しています。でも、温暖化を認めない科学者や、炭酸ガスは関係ないとする科学者も多くいます。トランプ前大統領も、温暖化はフェイクだと言っていました。世論が一致せず、各国の足並みが揃わないこともあって、炭酸ガスの増加も、温暖化や異常気象も、むしろ深刻になっている。

将来どうなるか、ですけれど、このまま進むと、二一〇〇年には、平均気温が少なくとも3度上昇する、と言われています。現状すでに、産業革命前より0・7度、上昇しているると思われます。3度上昇程度ですむとしても、どれだけ破壊的か想像してください。
3度上昇にみあう炭酸ガス濃度は、475ppmと推定されています。いまの調子だと、あと四〇年もしないうちに、届いてしまう数字です。
濃度ではわかりにくいので、炭酸ガスの重量に換算してみました。
日本人はいま、炭酸ガスを年間に1人当たりおよそ一〇トン、排出しています。トラック数台分ですね。日本全体では一三億トン程度です。中国は九九・五億トン以上。人類全体では三一五億トン排出しています。

佐藤　斎藤幸平氏が、『**人新世の「資本論」**』（集英社新書）で次ページのような図を書いていますね。

橋爪　すばらしい。それを引用しましょう。データが新しいと思います。
二〇〇八年に私が計算したところでは、人類は化石燃料を燃やして、空気中に既に七九〇〇億トンの炭酸ガスを排出しています。475ppmが上限ということは、あと七一〇〇億トンしか出せないということです。

佐藤　なるほど。

地域別二酸化炭素排出量

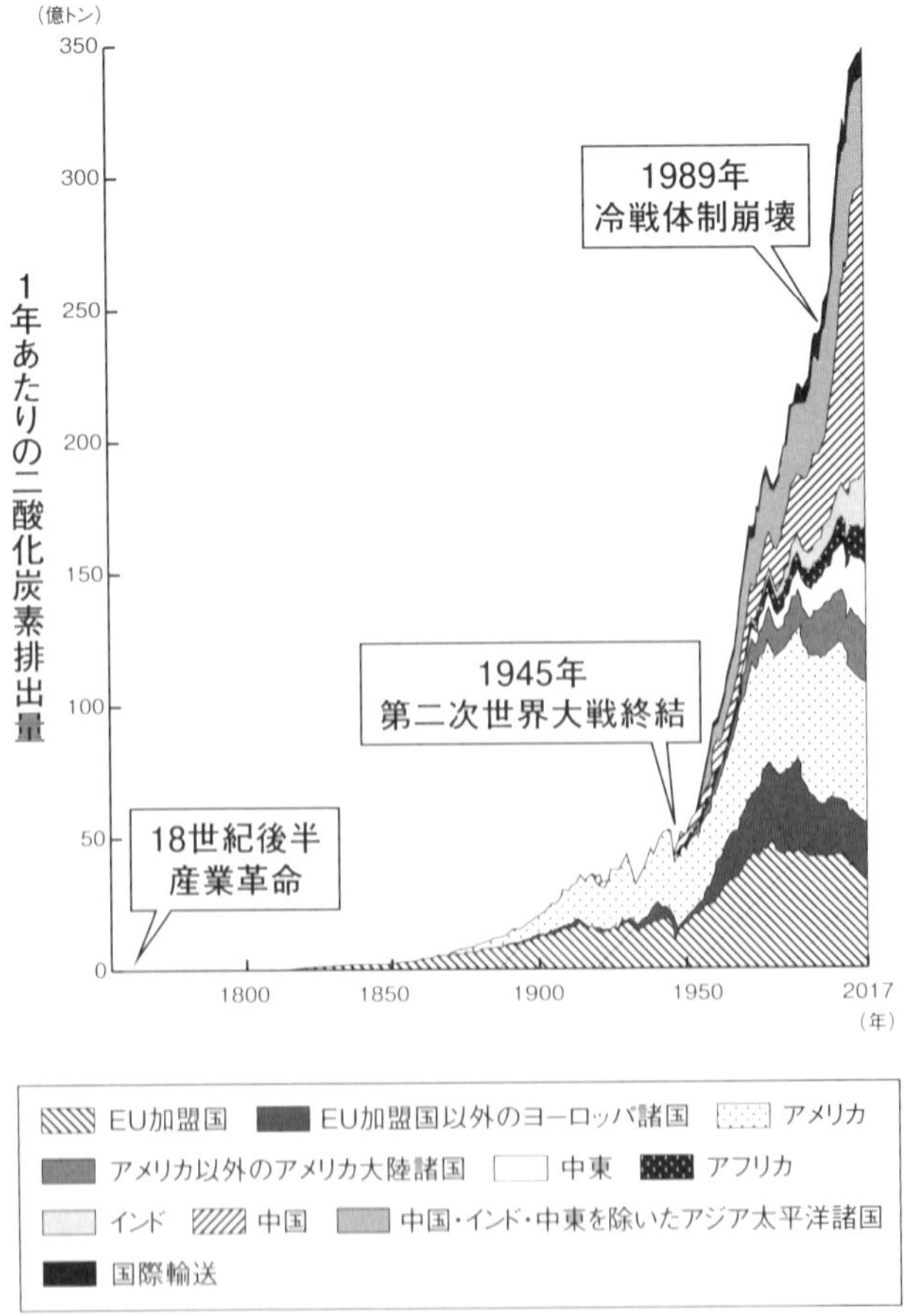

出典：Carbon Dioxide Information Analysis Center (CDIAC)および
Global Carbon Project (GCP) のデータをもとに作成

橋爪　毎年三一五億トンのペースなら、あと二〇年かそこらで天井いっぱいです。気候変動問題の本質は、あと七一〇〇億トンで炭酸ガスの排出をストップしようと思ったら、この七一〇〇億トンをどう分配して、そこできっちり終われるか、なんです。発展途上国は、炭酸ガスの排出量が非常に少ないです。これから発展すると、大量に炭酸ガスが出てくるはずです、在来技術なら。先進国は、炭酸ガスの排出にストップをかけたい。途上国は、発展の機会を奪われたくない。**南北問題**ですね。これが、この問題の難しさの根本です。

そこで新技術に期待がかかるわけです。

佐藤　私も、そこのところは認識を共有しています。さらに付け加えると、エネルギー問題を新技術によって克服していくというシナリオと、新技術では克服できないから低成長を目指すという、私に言わせると一種のユートピア的なシナリオとに言説がわかれてくる。これは今後、やはり大きな論点の1つになってくると思います。

橋爪　はい。新技術にもいろいろあって、画期的な技術なら、環境負荷をなくせるかもしれません。核融合のところでお話しします。

佐藤　そこで、まさに核融合が絡んでくる話になるんだと、今、非常に感じました。

橋爪　そうです。核融合が一〇年後に実用化すれば、この問題は解決です。炭酸ガスが出ないので。五〇年、七〇年後なら間に合わないです。予測はむずかしいです。

もうひとつ難題があります。地球の炭酸ガスを、誰が責任を持って管理するのか。その主体がいないのです。まず責任をもつべきは政府でしょうが、政府はできることが多くありません。政府は第一に、法律をつくる。立法措置です。第二に、税金をとる。第三に、補助金をだす。政府の活動は、ほぼこの三つに限られます。気候変動を解決するのに、これらの手段が有効に機能するかわかりません。しかも政府は国ごとに複数あり、利害（国益）が対立しています。協調して炭酸ガスを減らそうと合意するのがむずかしい。ＩＰＣＣ（気候変動に関する政府間パネル）は条約をつくって各国政府を拘束すればいいと、いろいろやっているが、困難です。

佐藤　それと同時に、合意の組み立て次第では、炭酸ガス排出量の多い先進国は、たとえば生産拠点を排出量の低い国に外部化するなど、移転できてしまいますね。

橋爪　そう。ザル法になる可能性が高い。

佐藤　そのザル法になるというのは、国際法の本質に関わる話です。たとえば、戦争は違法化の傾向にあるけれども、国際紛争を解決する手段としての戦争を完全に禁止することはできない。つまり、権力というものは、それに裏打ちされた能力がなければ、誰かに何かを強制することはできないという構造と対応している話なんですよね。国内法と違って国際法では、法律に違反した場合、実効性が担保されなくても、最終的に力によって封じ込めるということができません。

橋爪　そうです。

佐藤　特に炭酸ガスの問題は、目の前で毒ガスを使われるとか、領海に軍艦が入ってきてミサイルを撃ってくるとか、そういう明らかな脅威とは話が違うので、世界共通のルールが必要とはいえ、国際法が動きづらい分野のひとつではないでしょうか。

橋爪　おっしゃるとおりですね。

あと、**現在世代と将来世代**との利害対立という問題もあります。

佐藤　自分たちは環境に対してどのような価値判断を下し、行動するか。まさに世代間の環境倫理の問題ですね。

橋爪　現在世代としては、石油なんかを使い放題に使ったほうが、自分たちの利益になります。しかし、大きなツケを将来世代に残すことになる。民主主義は、現在世代の人びとの投票で決まるものなので、存在しない将来世代の利害を反映する方法がない。

佐藤　極めて重要ですね。化石燃料の使用の問題だけでなく、国債発行額が膨れ上がっていることなども、要するに次世代に負担を押し付けるということです。

橋爪　おっしゃるとおりです。

佐藤　ですから、人間のモラルとは何なのか、どういう価値観で何を選択していくのかという、倫理的な話にまで踏み込まないといけません。

化石燃料と再生可能エネルギー

橋爪　ここで、エネルギー源について、ざっと復習してみましょう。

エネルギー源は、化石燃料と、再生可能エネルギーに大別されます。このほか、別枠として、核エネルギーがあります。エネルギー源には、この三つしかありません。

産業にも生活にも、エネルギーは絶対に必要です。エネルギーがたくさんあることは、豊かな生活とほぼ同義です。エネルギーを確保しなければならない。

現在、われわれの社会は化石燃料に過度に依存しています。化石燃料は、石炭、石油、天然ガス、の三つです。石炭は、埋蔵量が多いが、硫黄が混じって汚いです。使い勝手も悪い。石油は、まあ便利ですが、埋蔵量がそうないです。あと、オイルシェールという新顔も、アメリカを中心に出てきました。三番目は天然ガスです。天然ガスは、まあ使い勝手がよい。水素が入っているぶん炭酸ガスの出方が少ないというが、気休め程度です。

再生可能エネルギー。昔はこれしかなかったが、産業社会を支えるエネルギー源としては心もとない。水力、微々たるものです。風力、安定せずコストが高いです。地熱、立地が限られます。バイオ。コストが高く問題が多いです。そして、太陽エネルギー。

太陽エネルギーには、太陽光発電と太陽熱発電の二通りあります。どう違うか、あとで説明します。このうち太陽熱が有望で、再生可能エネルギーの本命だと思います。

最後に、核エネルギー。いまの原子力発電所は、核分裂です。放射性のウラニウムを使う。この資源は埋蔵量が少なく、まもなく枯渇します。廃棄物も多く出ます。廃炉の解体もやっかいです。よい点としては、炭酸ガスが出ません。発電単価はそれなりに安いことになっているが、廃炉の費用なども加えると、それは疑問です。

それから、**核融合**。核融合反応からも、エネルギーが生まれます。その材料は、海中にほぼ無制限にあって、枯渇の心配がない。炭酸ガスは出ないし、廃棄物も出ない。理想的なエネルギー源です。ただ、実用化までどれぐらいかかるか、見通しが立たない。

あと、水素について。水素はよく話題になりますが、そして水素を燃やしても炭酸ガスは出ませんが、水素はほかのエネルギーを使って生産されるもの。エネルギー資源ではありません。

以上がだいたいの見取りです。「**脱炭素**」とは、炭酸ガスを出さないこと。つまり、再生可能エネルギーへのシフトをいいます。核融合エネルギーが出口なのですが、それが実用化するまでの間、つなぎとしての役割を果たします。

経済活動に必要な資源はすべて、エネルギーをつかって獲得できます。ただしエネルギー資源だけは、エネルギーを使って入手するわけにはいかない。経済を支える究極の資源なのです。そのエネルギー資源を、どれだけ豊かに、安価に入手するか。ここに21世紀の人類の、命運がかかっています。

佐藤　それと同時に過渡期においては、複数の手段のうち、いいものをいくつか併用していく、いわばベストミックスみたいな形もあり得ます。それをしつつ、今後、何にウェイトをかけていくかを、技術開発を含めて考えていくということです。

橋爪　脱炭素にも補助的技術があります。例えば**CCS**（Carbon dioxide Capture and Storage）といって、煙突から出ていく炭酸ガスをキャッチして、最終的に液体にして、地中や海底に貯蔵します。やれるとしても、コストがかかります。なので、まだ始めていません。

佐藤　だとすると、やはり核融合はどういうふうになってくるのかということが、非常に重要なポイントになってきますね。

橋爪　そうです。核融合に集中的に投資して、その実用化を五年でも一〇年でも早めるのは、とても合理的な行動だと思います。

佐藤　核融合なら、資源は海水中に豊富にあるのですよね。しかも炭酸ガスが出ない。

橋爪　出ません。

佐藤　核融合は、政治的には、けっこう古くからある話です。一九八五年のレーガン・ゴルバチョフ会談のときにも、「平和目的の核融合研究を国際協力で進める」なんていうことを言っていました。

橋爪　はい。核融合発電は兵器にならないし、各国の利益になるので、反対が出る話じゃないです。ただ、技術を独占したいという強い誘惑にかられます。

佐藤　確かにそうでしょうね。核融合の技術を独占できたら、マルクスの『資本論』でいうところの「相対的剰余価値（商品の生産技術の改良により、労働時間が短縮された結果生じた余剰労働時間によって生まれる価値）」を圧倒的に得ることができるわけですから。

核融合技術への投資について、１つ日本が抱えている課題を挙げるとしたら、政治コストがあることです。核融合などと言おうものなら「それで水爆でも作るのか」と、そんな短絡的で完全に間違ったことを言い出す人が、一般人のみならず知識人にも一定数いる。特に東日本大震災以降、核エネルギーに対する形而上的な抵抗感が強まっていることも、意外と無視できないところだと思います。

橋爪　気持はわかるけれど、愚かです。核融合発電と水爆のような核兵器とは何の関係もない。軍事転用できない、完全な民生技術です。

佐藤　はい。だからこそ、これは最終的には**啓蒙的理性**の問題になるわけです。いわゆる軍事転用できる核技術と核融合技術とはまったく違うのだから、感情的にならず理性的に受け止めて推し進める。そういう啓蒙的理性に、どれだけ依拠できるか。

実はその点において、私は悲観的なのです。何しろ日本は、一九五一年のサンフランシスコ平和条約第2条（c）項で国後《くなしり》島、択捉《えとろふ》島を含む千島列島を放棄したというのに、一九五六年に突然「日本は北方四島（歯舞《はぼまい》諸島、色丹《しこたん》島、国後島、択捉島）を放棄していない」という神話を作り出し、「返せ、返せ」の大合唱になっているような国ですから。要するに啓蒙的理性に乏しいといわざるをえない。

ですから核融合にしても、極端なことをいえば大統領制化を進めるなど、大きな政治体制転換をするくらいでないと、なかなか前に進められないのではないかと思うんです。

橋爪　私は、説明すればわかるものと楽観していたのですが、いま指摘いただいて、**核アレルギー**に慎重に対応する必要があるなと思いました。

佐藤　現実的なところでは、こうした政治コストの話が重要な論点になってきます。

少し話がずれるようですが、日本のロケット開発がなぜうまくいったのか？　それは日本語で「ロケット」と「ミサイル」が明確に分かれているからです。分かれているから別物だと認識されるようになっている。ロシア語では、実はロケットもミサイルも同じ概念です。もし日本語でも同じだったら、きっと「ロケット開発＝兵器転用」となって世論が紛糾し、あまり進んでいなかったでしょう。

つまり、いかに言葉が人々の物事の捉え方に影響するかという話です。政策においても言葉は本当に重要で、核融合も「核」とついている時点で、この国では非常に難しくなってしまう。

橋爪　興味深い指摘です。

脱炭素への戦略

橋爪　さて、化石燃料からほかのエネルギー源に転換をはかる場合、大事なのは**発電コスト**です。石炭火力の発電コストが基準になります。石炭は、１kW／h当たり、アメリカだと5～9セントぐらいです。9セントとは、10円ですね。この近くまで下がらないと、普及できないんです。高ければ、補助金なしに競争できません。

ところで、日本であっちこっちにある太陽光パネル。液晶パネルを並べて、太陽光が当たると、直接光を電気に変換する。パネルの発電機を並べているのですね。そして、このパネルのコストがとても高い。1キロワット当たり40セント、みたいな世界だった。

佐藤　全然ビジネスにならないですね。

橋爪　その後、コストは改善されて、いまは20セントぐらいだと思います。

日本で何をやったかと言うと、太陽光パネルを設置したら、業者から国が電気を買います。その値段は、50セントぐらいだった。高く買っているんです。新技術を支援して、コストの低下を促進するのが趣旨のはず。でも実態は、小銭稼ぎが目的の業者が既製品のパネルを買って、国の補助金を食いつぶしただけだった。じゃあ、液晶パネルの製造技術が日本に出来たかと言えば、中国のひとり勝ちです。愚かな政策で国費を無駄にした。

太陽光の問題点はいろいろあるが、まず、夜は発電できません。電気は貯蔵できない。**太陽光発電**は、産業のベース電力にならないのです。ベース電力は、24時間安定して、電力を供給できないとね。コストも高く、あまり有望なエネルギー源でない。

佐藤　パネルを廃棄するときの環境負荷もあります。

橋爪　そのとおり。それを、業者はコストに乗せてないと思います。原子力発電が廃炉の費用を乗せてないのと同じです。

佐藤　耐用年数を超えたら、地面に放ったらかしの可能性が十分あるわけですね。

橋爪　十分あります。

佐藤　それが環境汚染につながってしまう。

橋爪　太陽熱についてご説明します。

太陽熱発電には、トラフ型、タワー型など、いくつかタイプがあります。トラフ型は、大きな雨どいみたいな形の鏡で、焦点に太陽光を集めて、油を温める。三〇〇度ぐらいですね。それで蒸気を沸かしタービンを回して発電する。まあ、ローテクの技術です。これだと、昼間しか発電できません。タワー型は、何百メートルの高さのやぐらを建てて、周りに数百枚の可動式の鏡（ヘリオスタット）を並べ、タワーのてっぺんに焦点を結ぶ。焦点に溶融塩のタンクを置いて、一〇〇〇度に加熱します。その熱で水蒸気を沸かし、タービンを回して発電する。タワー型は、温度が高く蓄熱もできるので、一〇〇〇度に温めると、翌朝でも六〇〇度ぐらいです。つまり、二四時間発電できて、ベース電力になる。トラフ型に比べて有望なんです。

太陽熱発電の設置場所なんですが、年間の日照時間が長いほうがよい。つまり、砂漠です。砂漠は、日本にはないが、世界の至るところにあり、無人ですから敷地の確保も容易です。アメリカ、中国、ロシア、インド、オーストラリア、みな砂漠があります。EUには砂漠がないが、すぐ向かいがサハラ砂漠です。

肝腎の発電コストですが、石炭に近づいていくと見込まれます。

佐藤　なるほど。そうすると非常に有望ですね。

橋爪　石炭のほうが安い場合、炭素税（環境税）や補助金で価格差を埋めてやれば、エネルギーの転換はすみやかに進みます。

佐藤　説得力があります。

橋爪　これこそ政府の役割です。

炭素税について説明しましょう。

炭素税のアイデアはシンプルです。化石燃料の炭素の重量に対して、課税する。生産者に課金すればよく、手続きが簡単です。石油や石炭の元売り業者に出荷額（炭素重量）に応じて課金するのに、政府職員は数人もいれば十分です。税額は末端価格に転嫁されていくので、消費者が重量に応じた負担をすることになりますね。

佐藤　税金を払いたくなければ、炭素を排出するようなものを使わなければいいということですね。

橋爪　はい。炭酸ガス排出を抑制しようとする動機が働く。実際、排出量は抑えられるでしょう。CCSなどの技術で、炭素を回収する場合には、その分を払い戻します。

ここで大事なのは、各国の炭素税率を一律（たとえば、10％）に揃えることです。

佐藤　揃えないと、税金の高い国から低い国へと産業が移転してしまいますね。

橋爪　そのとおりです。抜け穴があると、炭素税の意味がなくなる。

佐藤　この問題は、外国企業を誘致するために自国の炭素税を低くするとか、タックス・ヘイブンのような形を作るといった抜け駆けができないような仕組みを、どうやってつくるかということでもあります。

橋爪　そうです。麻薬と同じで、抜け穴はあるかもしれないが、大部分の国がルールに従っていれば、全体として機能する。炭素税は、政治的コストが少なくて、現在のシステムに乗ったままますぐ実行できるのが利点です。

もう一つの考え方は、**排出権**を証券化することです。二〇二二年の地球の炭酸ガス排出量は三五〇億トン、などと決め、証券（炭酸ガス排出権）をつくります。その証券を買わないと排出ができない。そこで、製鉄所などは、市場で証券を買い集めるのですね。

佐藤　事業者がごみを出すときと一緒ですね。

橋爪　はい。技術革新で排出を削減できたら、証券が余るので、市場で売ればいい。このやり方は、机上ではうまく行きそうですが、実際はうまく行かないと思います。

佐藤　私もそう思います。

橋爪　もっともこれをやると、日本のような省エネに熱心な国は、外国に証券を売れるので、もうかります。国際的には、日本は推進の旗ふり役をしたほうがいい。

さて、結論を言えば、炭酸ガスを出さないよう、従来エネルギーから転換しなければならないのは、日本にとっていい話なんです。日本は化石燃料の埋蔵量などゼロである。そして、再生可能エネルギーの基礎技術が、ないわけではない。一刻も早く、それを開発したほうが日本経済のためなんです。でも、政府はそう考えておらず、関係業界の目先の反対に押されて、炭酸ガスの排出量削減に熱心でなかった。貴重な時間をムダにしてきたと思います。だしぬけに、菅総理が50％削減するとか言い始めましたけど、外国の後追いです。外国より先に、外国より大胆な目標を掲げるのでなければ意味がない。

佐藤　私も基本的に同じ認識です。ちなみに、今、ＦＩＴでの再生エネルギーの買取り価格の推移を調べてみたのですが、二〇一二年には太陽光を40円（10kW以上）で買っていたんですね。

橋爪　それは、べらぼうです。

佐藤　今は確かに12円ぐらいになっていますが、40円で購入するということで、しかも固定制で始めてしまったので、そもそもの制度設計に問題がありますね。

橋爪　今年は40円で、翌年は36円で、その翌年は32円で、みたいに事前に発表しなければいけないんです。制度を決めた政府は、何も考えていない。税金と時間をムダにした。

佐藤　ご指摘を得て、今、そう強く思いました。

橋爪　アメリカはオイルシェールの開発を進めて、トランプ政権は炭酸ガス削減に後ろ向きでしたが、環境関係の技術開発もすごく進んでいて、いつでも転換できるよう準備しています。バイデン政権になって、追い風が吹き始めました。

佐藤　確かにそうですね。他方、サウジアラビアも賢いので、オイルシェールなどもにらみつつ原油の生産調整をしながら、今のところうまくやっています。

橋爪　産油国の戦略としては、オイルシェールが採算割れになる程度に石油価格を下げたほうが、競争相手をやっつけられるんで合理的です。

佐藤　この点においてはサウジアラビアとロシアの利害が非常に一致するんです。ロシアには、オイルシェールが出る場所があまりありませんから。

橋爪　でもそれは、化石燃料同士の争いですから、やがて過去の話になる。私がサウジアラビアだったら、太陽熱発電所を砂漠に建てて、ＥＵに電力を売ってあげます、とオイルマネーをどっさり投資する。

佐藤　今は、ロシアから原発を買うことにお金を使っています。

橋爪　原発を買うなんて、周回遅れですね。

佐藤　たしかに周回遅れですが、ようやくそういう発想が、産油国サウジアラビアに出てきたということです。

ところで、今までお話ししてきたことには、エネルギーは産業において不可欠であり、その使用量は増えてくるという大前提がありますよね。ところが最近、エネルギー問題のカウンターとして、「エネルギー消費量が今よりずっと少なかった時代はよかった。そこに回帰しよう」といった言説が生まれている。要は「中世の村に戻ろう」みたいなロマン主義的な観念ですが、これは非現実的です。

そこで私が思い出すのは、社会人類学者のアーネスト・ゲルナーの**『民族とナショナリズム』**（岩波書店）なんです。狩猟採集社会から農業社会になり、産業社会になった。そして産業社会になるとナショナリズムが勃興するという話です。ここでゲルナーが提示しているのは、ナショナリズムの時代にはいろいろと悪いことが起こったけれども、はたして、それ以前の時代と比べて悪くなったといえるのだろうか、というテーマです。

実は以前とあまり変わらないかもしれない、むしろ少しよくなっているのではないか。なぜなら、人類は産業社会でさまざまな技術を手に入れ、食料を増産できるようになった。そして、これだけ人口が増えても、中世までの農業社会と比べれば、飢えの問題をかなり解決できるようになってきたのだから――ということをゲルナーは暗に示しているわけです。いずれにせよ、すべての根っこにあるのはエネルギーなんですよね。しかし、特に欧米の知識人の間で、その大前提と違う動きが増えている。このあたりについてはどう考えますか。

橋爪　欧米の知識人は、エネルギーの使用量を増やすのをやめて、減らしていってでも構わないと思う。でも、新興工業国や発展途上国に、そんな選択肢はないと思います。

佐藤　その基準を押しつけたりしたら、新興経済国や中進国に非常に強いしわ寄せが行ってしまうということですね。

橋爪　そうです。そんなことをされたら、国の発展計画がぶち壊しで、貧困はそのままです。先進国の良心的な知識人がついそういうことを言い出すのは、理解できるけれど、世界はもっともっとエネルギーを必要としているのです。

佐藤　その点は、いくら強調してもしすぎることはないほど重要だと思います。

　ミクロの話になりますが、ここに二〇二一年四月一九日付の朝日新聞の記事があります。読み上げます。

「学校欠席やハンスト……『気候変動、体を使って声上げる』」
『NDC（削減目標）を62％以上にしてください』。16日の金曜日のお昼時、東京・霞が関の経済産業省前で、高校生や大学生ら17人が声を上げた。スウェーデンの環境活動家グレタ・トゥンベリさん（18）が18年に始めた抗議活動は、金曜日に学校を休んでストライキをすることで世界中に広がった。

日本では授業後の夕方や休日にデモ行進することが多かった。今回は『私たちの命や生活にかかわる新たな目標が決まるまでに時間がない』として、4月2日から毎週金曜、東京、仙台、京都、鹿児島の学生有志が各地で、学校を休んで訴えることにしたという。

東京でプラカードを掲げた都立国際高3年の岩野さおりさん（17）は、休む理由を担任に告げると、『一人の人間としては応援したいが、教師としては授業を欠席するのを応援できない』と言われたという。」


まだ続きますが、こういう記事が出ています。「今すぐここで行動せよ」と新聞が煽っているんですね。さて、これの何が具体的に問題か。記事で触れられているのは、都内の高偏差値校に通っていて、いわゆる「意識が高い」高校生です。そういう子どもに対して、学校の先生が「一人の人間としては応援したいが、教師としては授業を欠席することを応援はできない」という対応をしてはダメだと思います。

自分たちの生命、人生に関わる問題に関心を持つな、声を上げるなということではありません。いてもたってもいられないというのも理解できる。しかし**高校生の仕事は勉強をすること**であって、活動家になりたいのならば学校をやめて政治に専心すればいい。

放課後にやることは個人の判断ですが、生徒が学校を休むというのはいけません。教師は、こんなどっちつかずのことではなく、はっきり言わなくてはいけないんです。こういうことが重なると、かつての新左翼運動の繰り返しになる可能性があると思います。

ですから、今、橋爪先生が共有してくださった話は、まさに教育の現場でなされるべきです。現状について、そして今後に起こりうることについて、データに基づいてきちんと話していくということを、教師が率先してやらなくてはいけない。むしろそれこそが現代の教師の仕事なのではないかと、今までお話を伺っていて強く思いました。

橋爪　おっしゃるとおりです。急ぐ気持もわかるが、これは急ぐ話ではない。でも、ぐずぐずする話でもない。いまやるべきことを着実にやる、という話です。

政府は、それをちゃんとやっていないと思う。ビジネスは、ちゃんとやっていないと思う。アカデミアは、ちゃんとやっていないと思う。大人たちもちゃんと考えていないと思う。それはそのとおりなんですけれど、性急にいま、何かやって、それで解決できるという問題ではない。

佐藤　カール・バルトという神学者たちが言っているような「**待ちつつ急ぐ**」という緊張感が必要です。

橋爪　高校生の諸君に対して言いたいことは、この問題は君が生涯をかけて闘うに値する問題だ。だから、どういう仕事に就くか、どういう活動をするか、どこに住んで、どういう家族を持って、どういう人生を歩むかってことを全体で考えてほしいって。

佐藤　話の腰を折ってすみませんでした。でも、こういう論点が入っていると若い人たちにも訴えられると思うんです。

核融合発電こそ未来である

橋爪　さて、つぎは核融合の話です。

核融合発電は、簡単に言えば、原子核のエネルギー（核力）を、原子核を融合させて、取り出して、発電することです。

分子量の大きな原子は、分裂すると核力を放出します。人間に有害な、放射性物質も生まれます。これに対して、分子量の小さな原子は、融合すると核力を放出します。放射性

トカマク型核融合発電のしくみ

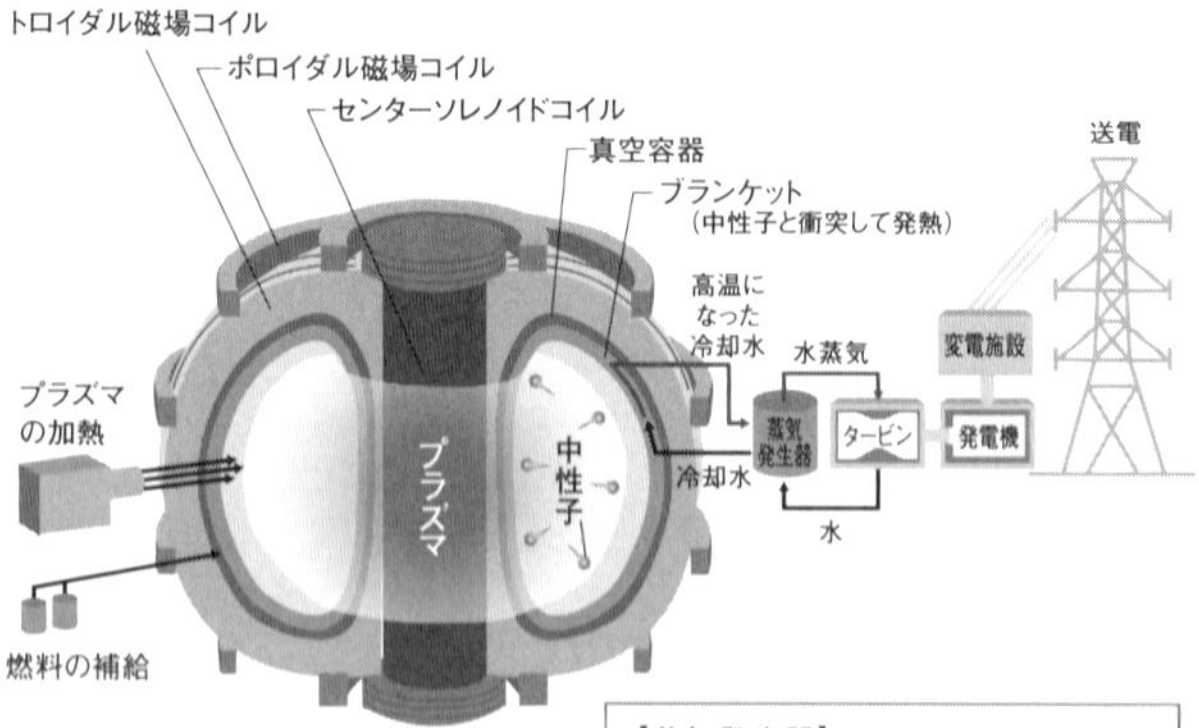

【蒸気発生器】
炉からくる高温になった冷却水の熱で、
別系統の水を水蒸気に変える

【水】
水蒸気はタービンを回した後、
復水器で冷やされ、液体の水に戻る

東芝エネルギーシステムズ株式会社
コーポレートサイトより引用

物質は出ません。太陽は、水素がヘリウムに核融合して、燃えています。

核融合発電の場合は、**重水素**をヘリウムに融合させます。重水素は、原子核が陽子と中性子。原子核が陽子2個と中性子の三重水素（トリチウム）も用います。これが融合してヘリウムになると、高エネルギーの中性子が出てくる。その中性子をキャッチして、熱に変換します。で、発電ができる。ヘリウムは無害です。中性子は、キャッチすれば無害です。熱になるほかに、三重水素も生産されるので、発電しながら核融合の原料がつくれます。

さて、核融合炉はいつ実用化するのか。原理がわかっているだけで、いまは炉の基本設計ができかけた段階です。重水素や三重水素を加速して、高エネルギー状態（1億度）の**プラズマ**にします。このプラズマを閉じ込めると、核融合反応が安定的に起こると予想されます。その装置は、トカマク型といって、電磁石のドーナツみたいです。

佐藤　これは昔、ソ連でやっていたものと似ています。

橋爪　あれを改良したものです。

トカマク型は、直径が数十メートルで、超伝導磁石を極低温に冷やして、強い磁場をかける。この中のプラズマを安定的にぐるぐる回らせるのがむずかしいのです。

核融合反応が起きると、中性子が飛び出します。その中性子を、ドーナツを腹巻みたいにブランケットというもので覆っておいて、キャッチするんですね。熱が出て、ヘリウムと三重水素が生成される。

さて、あと何年でこの技術が実用化するのか。諸説あります。数十年、遅くても今世紀中でしょう。

核融合炉とは、簡単に言うと、**「エネルギーが装置で生産できる」**ということです。ふつうエネルギーは生産できないので、エネルギー資源を燃やしたりしていたのが、装置産業になる。産業全体、経済全体が、エネルギーの制約から自由になるのです。しかも、炭酸ガスが出ない。環境への負荷もほとんどない。これがどんなに画期的な意味をもつか、わかりますね。ほかのエネルギー技術とは話が違うのです。

核融合にも、少しの材料は必要です。三重水素は核融合炉の副産物として出てくるから問題ない。重水素は海水中にあって、ほぼ無尽蔵です。ということで、石炭や石油のようなエネルギー資源に依存する時代は終わるのです。

電力価格はどのレヴェルに落ち着くか。石炭石油や、再生可能エネルギーによる電力よりも、安くなる可能性が高い。人類はやがて、この核融合発電による電力を使う社会に移行していく、と私は思います。これが二一世紀後半に起こる。世界史の分岐点ですね。

佐藤　私もまったく同じ認識です。ただ問題は、やはり先ほども言った**政治コスト**なんですよ。

この対談に先駆けて私も核融合について少し勉強し、いろいろな人に話題を振ってみました。

電力会社の人などに聞いても、核融合技術の実用性はもちろん認めているのだけど、政

治コストが壁だといいますね。核に対する形而上的抵抗感。これは、理屈をわかっている
ほうからすると迷信に過ぎませんが、迷信であるがゆえに根強いんです。これを迷信以上
の建設的な議論にもっていくには、ある意味、力業で押し切っていくしかないと思います。
要は政治家が思考停止せずに政治をする、つまり政治的に立ち回って実現させていく気が
あるのかという問題です。

橋爪　政治コスト。「核」に対するアレルギーが、日本に強いのかもしれないが、あまり
ない国も多いと思う。

佐藤　ロシアやフランスにはありませんね。

橋爪　核融合が実用化した世界は、それ以前の世界とどこが違うか。
　それまでは、エネルギー資源があった。石油や石炭は、特定の場所に埋まっていた。そ
れを消費地（先進国）に輸送して、発電は消費地で行なっていたのです。中東を防衛した
り、シーレーンを防衛したり、地政学的な配慮が必要だった。

佐藤　非常に強く働きますね。パイプラインですから。

橋爪　パイプラインもなくなる。だから、世界の軍事的、地政学的、戦略的配置が大きく
変わる。中国に石炭があるとか、アメリカが産油国だとか、もどうでもよくなる。

佐藤　プラスチックなど化学製品の製造にも石油は必要ですが、大半はやはりエネルギーですから、石油の用途、需要は非常に限定的になりますね。

核融合技術に関しては、一応、形としては国際協力の枠組みがあっても、どこの資本だって抜け駆けしたくなりますから、やはり国際関係の大変動、資本同士の覇権争いにつながっていくでしょう。ただし開発の規模からして、おそらく多国籍企業であっても特定の民間企業の力だけでは難しいと思います。

橋爪　そこはまだよくみえていません。

現状はどうかというと、いまは、原型炉→実験炉→実証炉→商用炉、の実験炉の段階です。これから核融合を起こそう。資金もかかるし、他国を牽制したいので、各国は仲よくチームをつくって実験を進めています。でも疑心暗鬼の情報争奪戦で、いったん実験炉がうまく行ったら、基礎技術を持ち逃げし、自国が真っ先に商用炉（発電所）を運用しようと思っている。いま国際協力できるのは、軍事技術じゃないからです。

佐藤　そうですね。ただ、ここで1つ大きな障害になるのは、**ネイション・ステイト**だと思います。どういうことかというと、たとえばサウジアラビアは産油国で、そのバックには、やはり産油国であるアメリカがいて、ロシアも広範に渡るガスパイプラインを持っている、というように、既存エネルギーにおけるネイション・ステイトそれぞれの既得権益が関わってくる。

だから、やはり新しいゲームには新しいルールを作る必要がありますよね。もっとも、ネイション・ステイトは現時点で障壁になりうるといっても、いずれはルールを作って従わせることは可能でしょう。とはいえ、自然に変化するのを待っていたら100年くらいかかってしまうから、それをかなり短くする努力はしないといけない。

技術面でいうと、現状、核融合の国際協力体制には日本、EU、アメリカ、ロシア、中国、韓国、インドが入っていますね。

橋爪 これ、オール地球ですね。こうなる理由。1. 基礎研究のコストを節約する。2. 他国に遅れをとらないようにする。3. 自国の科学者、技術者を養成しておきたい。やがて抜け駆けするつもりで、いまは一緒にいるのです。

佐藤 そこで何よりも重要なのは、軍事転用ができないということです。

橋爪 そうです。でも、次の実証炉の段階になると、だんだんきな臭くなってきます。

佐藤 ビジネスの話になりますね。

橋爪 どの国がいちばん最初に、効率のいい商用炉をつくるか、の競争です。

ただ核融合炉は、電気をつくるだけです。従来の送電網にくっつければ終わりです。風力発電とか、砂漠に太陽熱発電所をつくるとかいう、余計な設備投資はしないですむ。

佐藤　つまり、風力発電や太陽熱発電の施設をたくさんつくっているのが、無駄な投資になる可能性があるということですね。

橋爪　ぜんぶ無駄になります。でも、ここ二、三〇年のあいだ、これ以上地球を暖めないために、有益な投資です。

佐藤　要するに、過渡的なものとしては重要である。

橋爪　再生可能エネルギーは、核融合が実用化するまでの「つなぎ」です。

小さな国は、再生可能エネルギーに投資するより、核融合発電ができるまで、在来の化石燃料を使っているほうが合理的かもしれない。でも、アメリカ、中国みたいな巨大排出国にそれをやられたら大変だ。

日本は、中位の国です。自国で再生可能エネルギーを、とかジタバタするより、第三国で炭酸ガス排出を削減する技術協力をし、その貢献分を証券にしてもらって、国内では炭酸ガスを10億トン出すけどごめんなさい。これが合理的な気がする。

いろんな国にいろんな戦略があるわけだが、わが国がそれなりの戦略を考えているのか、疑問です。読者のみなさんに、しっかり理解いただきたい。

で、商用炉ができたときの勝負は、電気代だと思う。

佐藤　なるほど。

橋爪　どれだけ安く、効率のいい核融合炉ができるか。それは、超電導の技術や、磁石の性能や、コンピュータ制御のソフトや、そういう総合力の問題になる。この総合力があるのは、アメリカ、中国、EU。あとは日本、ロシア、インド。このへんですね。その中で一番信頼できて値段の安いものが、世界中の核融合炉を受注することになる。日本はそこに割り込むのがいいです。全部を受注できなかったとしても、超電導コイルは任せてください、みたいに割り込む。つまり、ここにはかなり投資すべきです。

佐藤　今の日本だと、核融合科学研究所、量子科学技術研究開発機構、あるいはレーザーだと大阪大学レーザー科学研究所あたりが研究を進めていますね。

橋爪　ばらばらにやってもだめです。京都大学はいくつか独自技術をもっていて、ビジネスとしてなんとかなっているみたいです。

これ、行く行くは、膨大な雇用をうみだす基幹産業になると思いませんか？　いまある日本の大企業とは、無関係ですけどね。

「啓蒙的理性」を育てる

佐藤　そうすると、最大の課題はやはり政治家の認識です。

政治家の認識といったのは、要するに資源エネルギー庁がやる気になるかどうかであり、それはすなわち、今だとエネルギー政策等の内閣官房参与である今井尚哉さんがどう思うかです。このあたりの意思決定は、実は非常に少ない人数で下されますから。

橋爪　そういうの困りますね。特定の誰かに依存しないで、**ポリシー・ペーパー**（政策基本文書）ができて、国民の理解をえて、隊列を組んで前進していただきたい。

佐藤　そこは、この国では旧軍の悪しき伝統がそのまま引きずられているので、私は非常に悲観的です。むしろ現実的に考えたら、石原莞爾《かんじ》のような人をつかまえてきてやらせたほうが、早いといってもいいかもしれません。そうでもしなければ、おそらくこの国は動かないでしょうから。

橋爪　いやー、何と言えばいいか。

佐藤　やはり日本は独自のシステムなんですよね。

橋爪　システムをつくるのが、そんなに下手では駄目じゃないですか。軍隊だってシステムでしょ。外交だって、政府だって、全部システムじゃないですか。それが、何でそこまで属人的になっちゃうんですか。

佐藤　実はイギリスやロシア、イスラエルなんかも、かなり属人的ですけどね。

橋爪　そうなんですか。

佐藤　はい。日本は結局のところ、専門家が政策の意思決定に関わる回路がほとんどないということでしょうね。

コロナ禍の一連の騒動を見ていても、たとえば新型コロナウイルス感染症対策分科会の尾身会長が、なぜあそこまで前に出たかといえば、自民党の元衆議院議員の尾身幸次《こうじ》さんの弟さんだからです。尾身会長自身、WHOの事務局長選挙に出たときに政治家とのつながりができていたから、この人に会長を任せればいいだろうと、おおむねそういう決定だったのでしょう。という具合に何をとっても非常に属人的なんです。ただ、どの国もきっとそうだろうという話です。

橋爪　どの国でもたしかに属人的な面があるが、その割に、システムとして動いているじゃないですか。

佐藤　確かにそうですね。ただ、本当にシステムとしてカチッと動いている国というと、どこでしょうか。難しい問題ですね。多分、ないと思います。とりあえず技術開発で成功した国を事後的に見たときに、システムができているように見えているだけなのかもしれません。

橋爪　論争ができるかどうかが大事じゃないですか。選択肢が複数あった場合に、有力な人の意見が分かれる場合がありますね。そのときに、こっちでなければいけない根拠を、相手にわかるように言葉で伝えて、相手は反論して、論争が決着をする。その記録を残しておく。これがシステムじゃありませんか。

佐藤　要するに、**反証主義的な手続き**が取れる文化があるかどうか、ということですね。第1章でも挙げましたが、これは非常に重要な論点です。反証主義的な手続きは、どこでも一定割合は取られているわけだけど、その政治における密度が問題ですね。

橋爪　日本では論争しにくい。論争すると、相手を嫌いで反対しているのだと、まずとられる。論争すると、相手に失礼じゃないかとも思われる。だから論争できない。

佐藤　まったくそのとおりです。それと同時に、意思決定においては、親分さんが「黒」と言ったら、今日から白いものも黒になる。どこの組織も基本的にそれで動きます。

橋爪　それだと、**全員で間違える可能性**が極めて高くなります。

佐藤　そして全員で間違えた場合は誰も責任をとらなくていいから、組織のリスクは極小です。

橋爪　全員で間違えたら、全員ひどい目に遭います。その場にいなかった人びとも含めてね。これって、何とかしなくていいんですか。

佐藤　何とかしないといけないんですよ。コロナ禍で起こったことも、二〇一一年の東日本大震災の処理問題で起こったことも、さらに一気に遡れば大東亜戦争で起こったことも、まさにこの話です。うわべの現象が変わっているだけで、根本的な問題はそのまま繰り返されているということです。

橋爪　そうですが、この本のテーマは、在来技術が行き詰って新しい技術に転換するときに、どう正しく行動すればいいか、という話です。

佐藤　そうですね。つまり我々が今、愚直にやっているのは、極端な言い方かもしれませんが、ある意味、「一八世紀に返ろう」っていうことなんです。一九世紀のロマン主義でもなく、二〇世紀ポストモダン以降の価値相対主義でもなく、一八世紀の**啓蒙的理性**の力を復権させ、信頼していこうと。

橋爪　我々っていうのは、佐藤先生とどなたですか?

佐藤　私は、橋爪先生も、その一人だと思っているんです。

橋爪　それは光栄です。

佐藤　橋爪先生と私とでは、違う分野、違うアプローチ法かもしれませんが、啓蒙的理性を信頼していくということでは一致していると思う。

　ここでひとつ触れておきたいのは、橋爪先生の**文体の特殊性**です。

橋爪　はい？

佐藤　橋爪先生は文体が特殊なんです。単文しか使いませんよね。

橋爪　はい。それはある程度、意識してやっています。

佐藤　単文しか使わないで、あれだけの長い文章を読ませるというのは、特別な技術がないとできないことです。単文をつなぎあわせて読ませていくというところで、独特のリズムが生まれているのが橋爪先生の文体の特性です。そして単文というのは文意が極めて明晰であり、明晰に読ませるということが、先ほど言った啓蒙的理性に関係していると私は思っているわけです。橋爪先生の本は、きちんと行を追って読めば理解できる。この点を非常に心がけておられて、文章で下手に遊ぶということをしていないんですよね。

橋爪　単文は、反論が容易なんです。

佐藤　はい。命題化されてしまいますから。

橋爪　イエス／ノー、ですぐ反論できる。長い複合文だと、一部賛成、一部反対だったときに、反論に困ります。

佐藤　なるほど。論争がきちんとできるような、そういう文体を意識的に使っておられるということですね。

橋爪　みんながそれをやれば、**システムに近づく**のです。

佐藤　よくわかります。それが理想的ですよね。

橋爪　それを、啓蒙的理性と指摘していただいたのは、心強い。神さまはいなくてもいいけど、理性はあってほしいと、みんなで思うようにしましょう。

佐藤　そこは非常に重要だと思います。その理性がどこから来ているかというのはカギ括弧の中に入れておく。保留にしておいていいわけですからね。だから、まず理性というところで話をしていきましょう、と。そして理性で判断できないことについては別枠で、という話になるわけですね。

橋爪　そのとおりです。

佐藤　したがって核融合の話は、まさに「理性の話ですよね。感情の話ではありませんよね。あるいは『核』という言葉を見てびっくりするという、言葉の問題でもありませんよね」というところから入っていくことが非常に重要だと思います。

量子コンピュータが世界を変える

橋爪　つぎに取り上げたいのは、量子コンピュータです。

量子コンピュータというものがあります。量子は、量子力学の量子。物質の基本粒子ですね。理系のひとは大学で習うが、文系のひとでも、量子の「不確定性原理」ぐらいは聞いたことあると思います。量子はとても小さいので、位置と運動量をいちどに確定することができず、確率的に分布しているとしか言えないのでした。

佐藤　そう思います。高校の物理の教科書に記述がありますね。

橋爪　私たちの日常では、物体はこの場所に、あるかないか、どちらかです。でもミクロな世界の量子（クォンタム）は、ある／ない、のあいだを確率分布するのです。

さて、量子を計算機に利用できるのではないかと考えたひとがいた。一九八五年に、デビッド・ドイチェという学者が、一人でその基本的なアイデアを考えてしまった。天才ですね。そのあと、ピーター・ショアという学者が、量子コンピュータを使えば、数の素因

数分解が、高速で解けることを証明した。

素因数分解は、99＝3×3×11、みたいに数を素数の積に分解することです。どんな数でも分解の仕方はひと通り。巨大な数は、分解するのが面倒で時間がかかります。

さて、二つの巨大な素数があったとして、その積をつくるのは簡単だが、それを分解するのはとてもやっかい。そこで、この関係を、**暗号の生成と解読**に使えるのです。33が通信に使う記号列だとすると、通信文が目の前にあっても、33が3×11に分解できることを知らなければ、読めないいんですね。

いま、通常のパソコンなどで暗号をかけて通信していますが、原理はみなこれです。従来型のコンピュータでは、解くのに千年もかかったりして、事実上解けないのです。量子コンピュータは、これをあっという間に解いてしまうのだから、世界中の暗号が全部読めてしまう。このことが一九九四年にわかって、世界中が大騒ぎになりました。

こうして量子コンピュータの開発が始まりました。従来型のコンピュータは電気信号の0／1を基本に、1ビットとして計算します。量子コンピュータは、**量子ビット**を使う。量子コンピュータには、超伝導回路方式、イオン方式、半導体方式、光方式、と四つぐらいの方式があるのですが、どれも量子1個を操作して、計算に用いる。この、量子を1個

古典コンピュータと量子コンピュータの違い

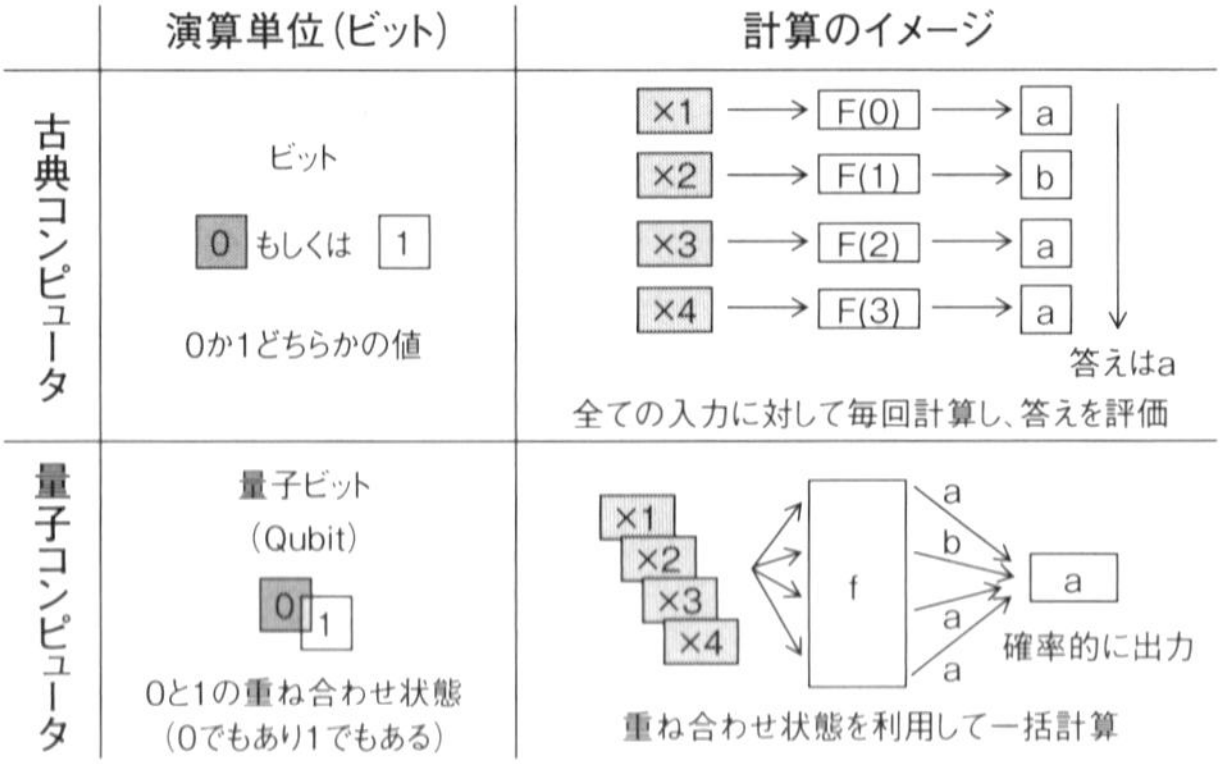

出典：株式会社野村総合研究所のデータをもとにSBクリエイティブ株式会社が作成

ずつ並べて操作し、計算させるところが技術的にむずかしいのです。四つのなかでは超伝導方式が主流とみられていて、世界中の研究機関が研究しています。

いま、実用化に向けて、どの段階か。

目標がジェット旅客機だとすれば、いまはグライダーみたいな段階です。オモチャと言えばオモチャだが、でも空は飛べる。

量子コンピュータは、従来型のコンピュータに比べて、あるタイプの計算はきわめて速い。第一に、素因数分解。これはいま説明しました。第二に、**組み合わせの最適化**問題。ネットワーク管理の基本技術です。第三に、**ミクロな化学計算**ができる。

佐藤　はい。製薬などで非常に重要になってきますね。

橋爪　分子から枝が出て、水素や酸素が量子として動くので、その化学的な性質が計算できると便利です。最善の化学物質を計算して、それを合成する。製薬やワクチン開発もそうですが、新素材の開発などもこれでできる。

第四に、連立一次方程式が解ける。連立一次方程式は、未知数の数が増えると、逆行列の計算が膨大でコンピュータも苦労するのですが、量子コンピュータは得意だという。さて、連立一次方程式は、複雑な非線型の問題を解くときの一次近似として、基本的な技術ですから、とても役に立つ。これはすごい。

だから、量子コンピュータは、もしできれば、暗号や通信、ネットワークの管理、ミクロな化学計算など製造業や、システム分析など、ほぼすべての分野で不可欠のツールになると予想されます。

佐藤　私もそう思います。量子コンピュータについて、私は入門書を非常に興味深く読んでいるのですが、今、橋爪先生がおっしゃったようなところで、たとえば『**量子コンピュータが本当にわかる！**』（技術評論社）には、こうあります。

「素因数分解は、数字の桁数が増えると劇的に難しくなります。数字が数百桁まで大きくなると、現代のコンピュータでも解くのに数千年や数万年という膨大な時間がかかるのです。しかし、ショアは、量子コンピュータ特有の解法を使えば、圧倒的に高速に素因数分解ができるということを発見したのです。ショアの発見は、非常にインパクトがありました。というのも、もし素因数分解が速く計算できてしまうと、現代のインターネット等での安全な通信を可能にしている暗号技術が簡単に破られてしまうのです。例えば皆さんがネット通販で商品を購入するとき、クレジットカードの番号を入力して送信することがありますね。この通信が悪者に盗聴されたとしましょう。クレジットカードの番号が外部に漏れてしまうと、勝手にクレジットカードを使われてしまいます。これを防ぐため、実際には通信をする前にクレジットカードの番号を暗号化して、盗聴されてもわからないようにして送られます。現在使われているRSA暗号と呼ばれる方式では、『大きな数の素因数分解の計算は難しい』という前提の下で、解読されにくい暗号になっています。逆に言うと、もし量子コンピュータが登場し、素因数分解が簡単に計算できるようになってしまうと、RSA暗号は破られてしまうのです。」

こういう書き方をすれば、誰でも「ああ、そうか、自分たちにも直接、影響する話なんだ」とわかるので、上手に書いてくれているなと思いました。

橋爪　この武田さんの本は、わかりやすくていいですね。

素因数分解と暗号の話は、その昔、『日経サイエンス』に記事が出ていて、興味を持ちました。量子コンピュータなど話題にもなってないころです。そこに、世界中で自分しか知らない巨大素数を知っていれば、大金持ちだ、とも書いてありました。

佐藤　また、安全保障ということでいうと、やはり中国です。日本の安全保障関係の人たちは、中国が量子衛星を打ち上げたときに、かなり心配し始めました。

橋爪　量子科学衛星のことですね。

まず第一に、**量子通信**と、量子コンピュータは、いちおう別のことです。

量子コンピュータは、科学的価値も戦略的価値もめちゃめちゃに高いので、これを他国に先駆けて開発することは、最優先課題です。ですから、アメリカも中国も必死でやっています。ほかの国も、それを追いかけている。で、中国が、ここに集中的に研究資金や人材を投入しているのは、すさまじいものがある。やっぱり、共産党だからできる。

佐藤　中国は、教育にも優秀な人材を投入できるような体制が確立されていますから。

橋爪　中国の優秀な学生は、一流大学に集中します。大学には、共産主義青年団だとか、共産党の組織があって、入党する学生も多い。それで、科学者、技術者になっても、並行して党活動もやるのが普通です。

佐藤　旧ソ連と一緒ですね。

橋爪　党員の人事情報は、党の組織部、最終的には**党中央の組織部**が管理します。どこにどういう専門家が何人いるとかは、重要な人事情報として、ビッグデータにまとめられているはずだ。だから、この分野に人材を投入しようと思ったら、すぐできる。大学も企業も政府機関も、みな党の指導下にあるのですから。こんな体制の国はあまりない。

佐藤　とはいえ日本政府も強い関心を寄せていることは確かです。官邸ホームページにも、有識者会議の「量子通信・量子暗号の動向と展望」など関連資料が上がっています。権力の中枢部にとって最大の関心事の1つであることは間違いありません。

橋爪　だって、自衛隊や安全保障会議でこれを問題にしなかったらおかしいでしょう。中国の量子通信衛星が上がったのは、5年前ですよ。

佐藤　ただ少し情けないことに、法的な話も含めて、そのあたりの全貌を把握している人は、日本には一人しかいません。宇宙法の専門家の**青木節子**さんという方なのですが、政府は、この人ひとりにすべて頼っているというのが現状です。だから非常に危うい。

橋爪　それは、層が薄いという話ですね。

佐藤　そういうことです。量子の専門家は他にもいるのですが、**宇宙法**のことをよく知っている人は日本で青木節子さんだけです。

橋爪　宇宙法のことを知るためには、英語はもちろん大事だとして、いろんな情報をとれないといけないないですか。

佐藤　情報をたくさんとれなくてはいけないのですが、宇宙法には宇宙法のコミュニティがあって、その中で認知されている人でないと情報がとりにくいんです。

橋爪　そのコミュニティに入るにはどうしたらいいんですか。若い方が志した場合。

佐藤　宇宙法に強い大学に留学することですね。青木さんの場合はカナダでした。

橋爪　カナダでもいいんですか。

佐藤　アメリカでもイギリスでもいいのですが、特にカナダは、実は宇宙法では一番といってもいいくらい優位なのです。ちなみに青木さんは、学生時代に特にやりたいことがなくて、半ば偶然のようにカナダに留学し、宇宙法に出会ったそうです。そこで勉強してみたらおもしろくて、のめり込んだとおっしゃっていました。

橋爪　宇宙法は、法学なんですか。国際関係論なんですか。

佐藤　**学際研究**です。だから国際法プロパーの人も、国際関係論プロパーの人も行かないんです。

橋爪　プロパーじゃないほうがいい？

佐藤　両方の領域が微妙に重なっているので、プロパーじゃないほうがいいですね。

橋爪　先生を選び、研究室を選ぶときは、その分野のエキスパートだっていうことを調べて応募しないと駄目ですか。

佐藤　そのとおりです。ですから日本の場合は、青木さんがいる慶應義塾大学が1つのハブになるでしょう。これから宇宙法を勉強したいのであれば、慶應の青木節子研究室に行くというのが定石になると思います。しかも青木さんは防衛大学校にいたこともあるので、軍事技術的なことに関してもいろいろな知識をつけてきています。一般的な大学では、なかなか軍事関係の情報は入ってきません。

橋爪　そうですね。防大と一般の大学の交流が、もうちょっとあるといいと思うんですけれども。

佐藤　青木さんは慶應を出た後、カナダに留学し、その後、防大、続いて慶應で採用されたという、この経歴が強みなんです。

橋爪　それはチャレンジですね。若い人は指導教員の言う通り、論文を書いていればよかったのが、それをはみ出て、社会のニーズに応えるエリアを志す。よく調べて、そこに行く。すばらしいけれど、帰ってみたら仕事がないかもしれない。

佐藤　青木さんは、すべて自分の力で勝ち取ってきたわけですから、本当にすごい人だと思います。

橋爪　そういうことを若い人びとにも望みたいが、若い人だって勇気がある人ばかりじゃない。優秀でちょっと臆病なひとも、なんとかなってほしい。

佐藤　そうですね。青木さんの場合はケベックだったんですよ。カナダのケベック州にあるマッギル大学が、宇宙法では世界で一番強い。青木さんは、たまたまそこに留学して、法学部付属の航空・宇宙法研究所というところで博士号を取ったんです。

橋爪　ふつうの行政学院に行っても、こういうことやっていなければ空振りですね。

佐藤　そういうことです。何かの巡り合わせなのか摂理なのか、もし神様というものがいるとしたら、青木さんをマッギル大学に送り込んだんですね。

橋爪　学問は、一〇年すれば、新しい領域がどんどん増えていく。若い方は、早くそういうのを見つけて、そういう分野に進んでもらいたい。佐藤先生の本とか読んで、面白そうだと思ったら、よく調べてチャレンジしていただきたいと思います。

佐藤　青木さんの経歴を見ると、一九五九年生まれで、専任で防衛大学校の教官になったのは一九九五年ですから36歳のときです。

橋爪　それには、たゆまず専門論文を書いていないと駄目ですね。36歳は早いほうです。

佐藤　大したものですよね。まったく人脈も何もないところで、自分の力だけで、しかもケベックのようなニッチなところで自らの道を定めた。そこで博士号まで取って日本に戻り、さらに研究を重ねて現在に至るという、おもしろい人です。

橋爪　なかなか偉いと思います。著書（『**中国が宇宙を支配する日**――宇宙安保の現代史――』新潮新書）を読み、感銘を受けました。

さて量子科学衛星なんですけど、「墨子」と名前がついている。この特徴は、量子通信をすることとです。量子通信は、ふつうの通信と違って、傍受して解読してデータをとったら、それが相手にわかってしまう。わかるので、相手は暗号を変えてしまうので、解読できなくなる。この運用は相当難しくて、量子もつれ通信実験とか高速量子通信実験とか、基礎実験をたくさんやらないとできないはずなんです。それを二〇一六年までに着々とやったわけですね。そして、世界各地に**量子衛星地上ステーション**を置かせてもらい、衛星が飛び回っても追尾できるようにした。アメリカはこんなものを、まだつくっていない。日本にも無論ない。だから量子通信に関しては、中国が独壇場なのです。

　これは何を意味するでしょうか。

佐藤　情報面において、中国が圧倒的に優位に立っていくということですね。しかも、その基地局をつくるほどの政治力がすでにある。まさに中国の総合力を示すものだと思います。技術力だけでなく、経済力プラス政治力というのは、そう簡単には崩せません。ですから一部にあるような中国脅威論とか、中国を封じ込めるとか、そういう現実的でない議論はせずに、中国に関しては共存共栄していく道を探るべきだと私は考えています。

橋爪　アメリカはどうするでしょう。

佐藤　おそらくアメリカは、中国に対抗して、自分たちで独自のシステムをつくろうとするでしょうね。

橋爪　すぐできるとは思わないんですけど。でも、急いでつくりますよね。

佐藤　国策としてやるでしょうね。ロシアに先に人工衛星を打たれたときに、アメリカが国策として人工衛星をつくりあげたのと同様です。と同時に、中国に対して、そのシステムを使うなという外交的な攻勢をかけていく。ただ、あまりうまくいくとは思いません。

橋爪　この技術は中国独自技術だと思うから、その知的財産権がどうだとか、産業スパイでどうだとか、そういう話とレベルが違いませんか。

佐藤　そう思います。ですから、乱暴な言い方かもしれませんが、西側のやっていることは「負け犬の遠吠え」に近いところがありますよ。

橋爪　なるほど、負けていますか。

佐藤　負けていると思います、今の時点においては。

橋爪　なぜ負けているんでしょう。

佐藤　ひと言で言うと、**中国の潜在能力**を軽視したからだと思います。ほかの面でも現れているのですが、中国は西側へのキャッチアップにまだまだ時間がかかるという認識で、よもや追い抜かれることなんてないと高を括っていた。これが日本人の平均的な感覚だったし、おそらくアメリカ人も同様の感覚をもっていたということだと思います。あれだけ米中関係が近い時期があったにもかかわらず、中国が内側からどう変化しているのかは見えなかったのでしょう。

橋爪　本当にそうですね。中国ウォッチャーは何をしているんだろう。

佐藤　そう思います。でも、もう少し経つと、アメリカ人で中国語を勉強する人がますます増えてくるでしょうね。中国語をとりなさいというのは、今、私も学生たちに強く言っています。必ず必要になりますから。

橋爪　そう願いたいもんです。

驚くべき新技術（EDT）

橋爪　追加で、NATOの科学レポートに何が書いてあったか、報告します。「Science & Technology Trends 2020-2040」というレポートです。

佐藤　はい、読みました。

橋爪　要点は、二〇四〇年までに、４つの分野で大きな変化が起こるであろう。第一が、AI。第二が、Interconnected network（ネットワークの連結）。第三が、分散処理。第四が、デジタル。これは、人と物と情報が結合するだろうみたいな話です。

つぎに、新しい概念として、**EDT**（Emerging and Disruptive Technology）。disruptive とは、「おったまげ」のような新奇なニュアンスです。超革新的な技術が新しく出てくる。どういう分野で今後二〇年に現れるかというと、データ、ＡＩ、自律システム、宇宙空間の高速移動、量子技術、バイオ、新素材。しかも、これらが組み合わさって、新しい創発効果をうむだろうと。たとえば、データとＡＩと自律システムとか、宇宙空間の高速移動と素材とか、がくっつくとえらいことになるだろう。そんな分析ですが、説得力があります。

佐藤　一六〇ページもありますからね。

橋爪　わかりやすい英語なので、読み飛ばせば、そんなに時間はかかりません。

このレポートの特徴は、民間のことはほとんど書いていないことです。たとえば、核融合や電力は、触れていない。軍事用じゃないからです。ともかく、専門家が議論に議論を重ねて、二〇年以内に起こりうる変化をまとめている点は、信頼できると思いました。

佐藤　特に興味深いのは、やはり「コンビネーション」ですよね。１つの技術だけでなく、複数の技術を結び合わせたときに、安全保障上どういった脅威になり得るのか。

橋爪　はい。技術は、単発ではなく、別のものと結びついて、産業や世の中をがらっと変えていくのだなと。ＮＡＴＯは偉いなと思いました。

佐藤　軍事的な意味合いのところで、ブルーなものとレッドなものを分けるという話はおもしろいと思いました。さらに今おっしゃったように、現在の想定からかなり外れるような新しいテクノロジー、イノベーションが出てくることに備えておけというのは、心構えとして非常に重要ですね。このEDTという概念は、もっと日本の中でも普及させなくてはいけないと思います。

橋爪　はい。訳し方に困りますが、彼らも言い方に困ってEDTなのです。

新技術が出てきたとき、どっち付かずの態度で失敗するのは、昔からよくあった。私が連想するのは、帝国海軍が、**戦艦か航空母艦か**で、決断できなかったことです。

佐藤　両方やってしまいましたからね。

橋爪　航空母艦のほうがはるかに安上がりで、戦艦なんか造ってる場合じゃなかった。でもかなりの資源を戦艦につぎ込んでしまい、戦力としてまるで有効でなかった。

このほかめぼしい新技術としては、水素、EV、新素材、などがあります。

水素は、エネルギー源というより、二次エネルギーです。水素の利点は、ガソリンエンジンと同様に、内燃機関で燃やすことができる。不利な点は、かなりの低温で保存しないといけない点です。新技術の主流にはならないだろう。

佐藤　日本では、トヨタが水素に力を入れていますね。

橋爪　トヨタに聞きに行ったんです、なぜ水素なんですか。責任者の答えは、ガソリンエンジンに近いから。どうしようもないなと思いました。

佐藤　要するに「ＥＶはやりたくない」ということありきなのでしょう。

橋爪　トヨタは迷走しています。一〇年後、あの会社があるかどうかわからない。

素材で最近、面白いなと思ったのは、コンクリートの新種です。ふつうのコンクリートは耐用年数が限られている。日本のどこかの先生が、砂に水溶液をかけて四五〇度に温めると、ケイ酸か何かが溶け出して、石にできることを発見した。いろんなかたちのブロックをつくって、鉄筋なしに積み重ねれば、耐用年数を千年ぐらいにできる。住宅費も家賃も安くできる。環境にやさしい画期的な技術だと思いました。

佐藤　それは非常に重要だと思いますね。

新技術に関して、よく入り口のところは議論されていますが、私が最近、強い関心を持っているのは出口のところです。その出口とは何かといったら**産業廃棄物**です。産廃を減らすということに本格的に取り組まなくてはいけない。海洋プラスチックの問題などは議論されるようになってきていますが、日本の場合、私は建築資材の産業廃棄物が非常に深刻だと考えています。

橋爪　木を使うとか、いろいろあるんですけれども。とにかくコンクリを何とかしないといけないと思う。コンクリにはもちろん利点がある。常温で水を混ぜれば現場で成型できる。でもそもそもセメントをつくるのに、かなりエネルギーを使ううえ、鉄が錆びたり、耐用年数が短か過ぎる。

佐藤　我が家もRCコンクリで、非常に快適ですけどね。

橋爪　五〇年たって快適かどうか。人間はすぐ死んじゃうので気がつきませんが、建物は人間より寿命が長いのが本来の姿です。

佐藤　そうですね。たとえばイギリスなどで、「fairly new」なんて説明されている不動産物件を見かけます。つまり「まあまあ新しい」ということですが、それが建てられたのが二〇世紀初頭、みたいなことはよくあります。

橋爪　私もアメリカでは集合住宅に住んでいるんですけど、水まわりとかひどいもんです。一〇〇年近くたつと、水道管がしょっちゅう壊れて、壁を壊して修繕する。建物つくるときに、メンテとか廃棄とか全部考えて、住居の面積や家賃や、勤労者の負担額を考えて、素材を決めなきゃいけない。

産業、経済を育てるには、技術者、経営者、経済学者、政治家、アカデミアの人間などいろいろ社会や人間についてよく理解している人びとが、知恵を出し合っていかないとダメです。日本人がちゃんと給与をもらって、安心して働ける産業を、創造しなければならない。いまある産業は、だいたいなくなっちゃうのですから。

佐藤　完全に同意します。今の産業はかなり変化していって、特にホワイトカラーの仕事がほとんどなくなっていくというのは確実ですから。でもだからといって、いわゆるエッセンシャルワーカーの層を厚くして中産階級化していけるかといったら難しい。じゃあ、新しいものをつくり出していかないといけませんね。

橋爪　介護とか、サーヴィス業とか、効率化がむずかしく生産性があがりにくい業種がかならずあります。そういう業種の人びともみな、中流階級としてともに暮らしていくためには、**生産性の高い新産業**を育てて、そこで生み出される付加価値を、みなで分け合う分配の仕組みを築くしかない。日本国内に付加価値の高い新産業を育てる。それしか解決はないのです。日本の既存の大企業は、海外に生産拠点を移し、派遣や非正規を踏み台に、自分だけ生き残りをはかりました。こうした大企業が、これから必要な分配の仕組みを担うのはもう無理だと思います。

佐藤　特にGAFAみたいなものをモデルにして、そこにイノベーションを求めたとしても、雇用は生み出さないですからね。

橋爪　今日のテーマは、科学技術です。サイエンスとテクノロジーは自然と結びついていて、自然は人間の思いどおりにならない。自然に関する知識を用いてよりよく生きていくために、考えなきゃいけないことはいろいろある。今日はその一端に触れたと思います。

佐藤　おもしろかったです。たいへん勉強になりました。

第3章

軍事の分岐点

――米中衝突で、世界の勢力図が塗り替わる

古くならない軍事学の古典

橋爪　第3章は、軍事・安全保障について。

軍事・安全保障は、経済そのほかと独立に動く、大事な領域です。また、日本人は不得手です。そこで以下、私から、軍事の原則について要約してお話しし、佐藤先生に肉づけしていただきます。われわれがいま、世界史のどういう分岐点にいるのか、見通せるとよいと思います。

それでは、軍事の流れを、時系列でたどって行きましょう。

軍事の分野では、いまから一五〇年～二〇〇年前の議論が、いまでも有効です。その頃は、陸軍と海軍しかなかった。

陸軍で、大きな革新があったのは、フランス革命です。ナポレオンが登場して、フランス陸軍がヨーロッパを席捲した。それは、それまでの傭兵制から、**徴兵制の国民軍**になったからです。絶対王政の軍隊は五万人そこそこだったのが、国民軍は五〇万人の規模になった。陸戦では人数がものを言うので、相手を圧倒できます。これに対抗して、ロシアもプロイセンもオーストリアも、軍を改革した。ヨーロッパ中が、ナポレオン軍に負けない軍事国家として再編されたのです。

なかでもプロイセンは、フランス軍にさんざんやられて屈辱をなめ、改革派の軍人が台頭します。グナイゼナウやシャルンホルストが代表です。改革派の軍人は、プロイセン軍がフランスに言われるままロシア遠征に加わることに決まると、軍服をぬぎ、ロシア軍に参加したりしました。気骨ある人びとです。**クラウゼヴィッツ**も改革派の一員でした。彼の書いた**『戦争論』**は、当時の経験を理論的にまとめた、軍事学の古典です。

『戦争論』は冒頭、戦争は政治の延長だ、と始まります。戦争とは、暴力によって、当方の意思を相手におしつけること。相手におしつけるとは、講和条約を結んで、当方に有利な条件をのませることです。これが戦争の目的であって、途中の戦闘で勝ったり負けたりの一喜一憂はどうでもよい。

クラウゼヴィッツが導いた重要な命題を、順に紹介します。

第一に、戦闘の勝敗はどう決まるか。装備が同等で訓練も似通った両軍が戦う場合、兵力がものを言います。人数が相手より多ければ、勝つ可能性が高いのです。二倍なら、まず負けない。ゆえに、兵力を分散させてはならず、会戦面に集中しなければならない。また、相手の戦力が合体する前に、各個撃破することが望ましい。

以上が野戦の場合だが、要塞はまた別である。まず、攻撃と防御では、防御のほうが有利である。防御は現状を維持すればよいからです。要塞は特に遮蔽物が多く、攻撃側に対して有利であって、少数の兵力（老兵や傷病兵を含む）で多数の兵力を撃退できる。日本は要塞戦の研究をおろそかにし、日露戦争の旅順攻略で苦杯をなめた。

クラウゼヴィッツの議論が正しいなら、陸戦は兵力の勝負なので、動員合戦になる。第一次世界大戦でも、第二次世界大戦でも、各国は人びとを根こそぎ動員したのです。

佐藤　ここでチェックしておかないといけないのは、まず傭兵が最大の問題というのは、彼らは逃げるからですよね。

橋爪　そのとおりです。

佐藤　三〇年戦争とか百年戦争とか呼ばれているものは、その年数ずっと戦っていたわけではなくて、傭兵が陣形を見て劣勢だと思ったら逃げる、また戦う、また逃げるという繰り返しだったわけですよね。それに対して国民軍は逃げないというのが1つのポイントですが、この国民軍という発想は、もともとは**左翼**のものでした。フランス革命のときに議長席から見て左側に座っていた人たちが国民軍というものを主張した。

その後、「左翼」「右翼」の概念がだんだん変わってきて、特に日本では、左翼というと反戦平和主義というイメージが強くなりましたが、国のために戦う国民軍というのは、むしろ左翼が「全人民に武装する権利がある」という思想の下、発想したものである。これは社会主義国であるロシアや中国、あるいはその伝統を引いている国の国防意識とも強く関係しているので、ぜひここで押さえておきたい点です。

それと、クラウゼヴィッツの理論を日本で一番上手に落とし込めたのは、私は『**作戦要務令**』だと思うんです。冷静に数字だけを見ていくというところに、「必勝の信念」というのを一つの変数として入れてしまっている点が、日本独特のものになっているという感じがします。士気はどの軍隊でも重要な変数ですが、日本軍の場合、**必勝の信念**の比重をいくらでも高めることができるとしてしまいました。

橋爪　『作戦要務令』は前線の将校向けです。参謀向けの『**統帥綱領**』もあります。

クラウゼヴィッツを日本はちゃんと咀嚼したのかどうか。受け止めそこなったと思う。それは、物質と精神の関係です。クラウゼヴィッツにも物質と精神の話が出てきます。物質とは、装備や兵力。精神的な要素は、伯仲した戦場で勝敗を左右する要因。たしかに精神力は勝敗の決め手になるのですが、その前提として、物質面が拮抗していなければならない。スポーツでも精神的要素は大事ですが、サッカーなら一一人ずつ、野球なら九人ずつとか、戦力を揃えている。物質面の不足を精神が「補う」という発想は、クラウゼヴィッツには皆無です。でも『統帥綱領』を読むと、日本軍は装備や火力で劣るから、それを必勝の精神でカヴァーするのだ、みたいな論理のオンパレードです。これは、クラウゼヴィッツにみせかけて、その科学的精神を神秘主義に置き換えた、まがいものです。とんでもない逸脱なのです。

佐藤　その点をより発展させて議論しているのが慶應義塾大学の片山杜秀《もりひで》さんが書いた『未完のファシズム──「持たざる国」日本の運命』（新潮選書）です。

日本は、自分たちは「持たざる国」であるとわかっていたから、短期決戦で勝ち切るんだという精神主義を出してきた。そういう書き換えをする前提には、物質力において勝てないんだという認識があったわけです。ところが、実際に戦争が展開するなかでは、「勝てない」と思うところで無理に戦っているから、殲滅思想が被殲滅思想になっていく。つまりは玉砕になってしまったんだと。これは見事な説明だったと思います。

橋爪　なるほど。

さて、クラウゼヴィッツの議論の特徴は、軍事と政治を異なる領域としてきちんと区別し、その上で両者の連関を考えようとしている点でした。

佐藤　その点ですが、おそらく政治については、クラウゼヴィッツは無定義ですよね。ここでポイントとなるのは、後に**カール・シュミット**が考えるような政治観だと思います。つまり「政治とは友と敵を分けるものである」という、この観点からすると、政治の延長線上に戦争があるというクラウゼヴィッツの理論が、特に**核兵器**のある状況において現実性をもつのかどうか。核保有国間においては、基本的に、政治の延長線上に戦争はないんだということになっていると思います。

エンゲルスはクラウゼヴィッツを重視していました。その流れでレーニンはクラウゼヴィッツの理論をベースにソ連の国家戦略を組み立てました。ところが1960年代、フルシチョフの時代になると、核兵器がある世界では、政治の延長線上に戦争があるという位置づけはできないということになり、そこから平和共存という話を組み立てた。これは、その後、ゴルバチョフの時代に至るまでソ連が貫いた思想です。そして今のロシアも、明言はしていないものの、その思想を受け継いでいますね。

橋爪　それは重要な指摘だと思います。

佐藤　ただ、実際には通常戦が起きますから、クラウゼヴィッツの基本テーゼは今も生きています。そこに微調整が加わっているというのが私の理解ですが、いかがでしょう。

橋爪　『戦争論』の冒頭に書いてあることを、正確に言うとこうです。

《戦争とは　暴力によって　我がほうの意思を　相手に押しつけること》

我がほうの意思を、暴力（実力）によって相手に押しつけること、これが戦争の実質である、と書いてます。意思を押しつけるには、戦争が終わったあと平和協定を結んで、相手にそれを飲ませる。これが**戦争目的**なんですね。こういう宣言が冒頭にあって、まさにそのとおりなのです。

さて、クラウゼヴィッツのこの原則が成り立つためには、戦争が実行可能でなければならない。ところが、核兵器が登場すると、戦争が実行できないという話になるので、別系統の議論になります。それはおっしゃるとおりです。

もうひとつ小さな補足をすると、ナポレオンの登場する前に、アメリカ独立革命がありました。アメリカ独立戦争に、フランス共和国はとても刺戟されたのです。独立戦争ではアメリカ軍とイギリス軍が戦ったのですが、アメリカ軍といっても元はイギリス軍で、州兵だったのが制服を着替えてアメリカ軍になった。州が連合したのですから。そのほかに

民兵（ミリシア）もいて、ふだん農業してるんですけど、武装している。フランスやインディアン（アメリカ原住民）が襲ってきたりしたのです。いざとなれば銃を取ってすぐ駆けつけるので、ミニットマンといいます。この民兵も加わって、イギリス軍と戦って勝利したのを、彼らは自慢しています。市民が自発的に銃を取って立ち上がるわけで、傭兵ではない。これをモデルに、フランス共和国が徴兵制を敷いたという順番だと思います。

佐藤　なるほど。勉強になりました。

マハンが明かす「海戦の原則」

橋爪　つぎは、海戦です。

海軍と陸軍は、似てる点と違う点があります。海と陸だから、当然違うんですけれど、海戦のためには、それ専用の船が必要です。軍艦です。軍艦の中でいちばん強いのを、**戦艦**といいます。そのほか、軍艦には種類がいろいろあって、艦種といいます。

戦艦は、最大の戦闘力（火力）をもっています。大きな大砲を積んでいて、それ相応の防御力（装甲）もある。ずんぐりむっくりですが、それなりのスピードで航行します。こういう戦艦をずらっと並べて、艦隊をつくります。これがある国の主戦力で、相手の国の艦隊を戦略目標にして、艦隊決戦を挑んで撃滅すれば、制海権を手にできます。

そのほかの艦種についても簡単に説明すれば、戦艦のつぎは、巡洋艦。戦艦より火力が劣り装甲も薄いので、戦艦には敵わないが、スピードが速い。海洋を走り回って、戦艦以外の敵艦をやっつけ、通商破壊活動を行なう。戦艦と出くわしたら、逃げます。水雷艇。小さなボートで猛スピードで敵の軍艦に近づき、魚雷を発射して逃げ帰る。命中すれば費用対効果が高い。潜水艦。水中を航行し、敵国の軍艦や商船に魚雷を発射して攻撃する。駆逐艦。最低限の火力と装甲の軍艦で航続距離が長くスピードが速い。戦艦など艦隊を護衛し、水雷艇や潜水艦を追い払う。航空母艦。飛行機が発着できる甲板をもち、航空戦力で敵艦や地上の目標を攻撃する。航空母艦がいちばん最後に現れた艦種で、戦艦に代わって艦隊の主力となりました。

制海権は、陸戦の占領にあたります。でも海は広いので、完全に支配することはできない。敵国が、相当の覚悟をしないとその海域を安全に航行できない状態なら、それを制海権といいます。制海権があれば、島を占領するには及ばない、とマハンは言います。いつでも占領できるからです。また、敵国が上陸したとしても、補給ができないから、退却しなければならない。

艦隊決戦の勝敗を決めるのはなにか。まず個々の軍艦の性能や、艦隊の運動ですが、それがだいたい同じだとすると、戦艦の数の多いほうが勝利する。陸戦の場合と同じです。俗説では**「二乗の法則」**といって、戦艦の隻数が３：５の場合、戦力は二乗の９：25になる、とされた。日本では広く信じられていました。マハンは、どれくらい数が多いと勝利するか、特にのべていません。

佐藤　ですから、これはネットワークをつくっていくということですよね。

橋爪　はい。マハンは古典理論なので、空軍を考えていません。航空戦力があると、また話が変わってきます。島には飛行場をつくれますから。

佐藤　このマハンの考え方につけ加えておきたいのは、**マッキンダー**です。両者の大きな違いは、地政学というときに「面」を広げていくことを指向しているのか、それとも「面」には関心を示さず、ネットワークを広げることを指向しているのか、という点です。マッキンダー自身は「地政学」という言葉を使っていないが、「面」を広げるということをいっており、「ネットワーク」に着目したマハンとの対比が成り立つと思います。

橋爪　マッキンダーとは、どういうひとですか？

佐藤　イギリスの地理学者で、**『デモクラシーの理想と現実』**という代表作があります。

ハウスホーファーの地政学とともに関心が高まり、『マッキンダーの地政学　デモクラシーの理想と現実』と改題した書籍も、マハンの『**海上権力史論**』と同じ原書房から出ています。

さてマッキンダーは、地政学とは「面」を広げることを指向するものだといっている。この観点からすると、中国が岩礁を埋め立てて人工島を作っているのは、海洋戦略論の発想ではなく、むしろマッキンダー的な**地政学**の考えで「面」、つまり支配領域を広げていると捉えられます。そうなるとマハンが言っていることとぶつかるのですが、メンテナンスが大変な人工島をわざわざ作る理由が、マッキンダー的な大陸国家の地政学だと考えると整合するんです。

橋爪　アメリカ軍が第二次世界大戦で、ガダルカナルから、「跳び石作戦」で、日本側の拠点を飛び越して、跳び跳びに飛行場をつくって、日本本土に近づいていく作戦をとりました。あれは、マハンの考え方とちょっと違うと思います。航空戦力が主体です。制空権がなければ、艦隊は自由に行動できない。直接、戦略爆撃機が出撃できる飛行場をつくることが、戦争を終わらせる早道だった。まっしぐらに日本に向かって、太平洋を進んでいくやり方は、合理的だった。制海権を取ることが目的という、マハンの考え方とはちょっと違います。

佐藤　ただし全面的な制海権、太平洋上のネットワークをアメリカ軍は獲得しました。もう1つコメントをしておくと、東西冷戦が終わるまでは、マハンやマッキンダーの考え方は時代遅れになったという見方が強かったんですよね。ところが東西冷戦が終わった後、再び地政学が注目されるようになりました。

地政学論者の**プレハーノフ**の『マルクス主義の基本的諸問題』では、地政学に多くの紙面が割かれています。その中で、**ヘーゲル**はこういうテーゼを言っているんだと紹介しているところがあります。「山は人々を遠ざけ、海と川は人々を近づける」と。私自身は、ヘーゲルの著作のどこにこの言葉があるのか、まだ探しきれていないのですが。

橋爪　クラウゼヴィッツにもそれに近いことが書いてあります。

佐藤　ただし、プレハーノフは、これは海洋や河川交通が一定程度進んでいるということが前提になるとも指摘しています。

ともあれ、このヘーゲルの山と海のテーゼは、現代においても適用可能です。たとえばチェチェン戦争でロシアが、シリア戦争、アフガン戦争でアメリカが、なぜこれらの国を攻略できなかったかといえば、山を越えられなかったからですよね。三次元の戦いになった場合、山という障害は越えられると冷戦中は考えられていたのですが、事実として越えることができていない。そこで改めて「山」の地政学が見直されるようになったのではないでしょうか。

そして「海」の地政学についてはネットワーク化が進んでいく。インターネットが発達し、サイバー空間で丁々発止が起こっていくというのは、性質的に非常に「海」に近いものがあります。

こうした背景で、陸の地政学、海の地政学が見直されているのだと思います。

橋爪　興味深い指摘ですね。

南沙諸島ほかにおける中国の戦略を理解するには、第二次世界大戦でのアメリカの対日戦略が参考になるし、それを超えた部分もあると思います。制海権という考え方はもう時代遅れで、制空権ぬきに制海権はない。制空権のさらに背後には、ミサイル戦力や、宇宙空間との情報通信もあるかもしれません。後でまた議論したいと思います。

佐藤　この前のところともつながる話になるわけですね。

第一次世界大戦の衝撃

橋爪　第一次世界大戦は、帝国主義戦争で、レーニンも予言していた。この帝国主義の各国が、軍備の面で、それぞれ特徴があります。その違いは、地政学にもとづく。

イギリス。イギリスは海軍が主力で、陸軍はおまけです。世界に展開したので、それなりの陸軍は必要ですが、フランスやドイツを陸戦で破るとか、安全保障を確保するとかいう必要がない。ドーバー海峡は渡れないのです。

フランス。フランスは陸軍が非常に強いです。昔は海軍も、他国と張り合っていた。フランスは、ドーバー海峡側と地中海側に、二つの正面があるので、海軍として不利です。イギリスは島なので、ぐるっと回って戦力の集中が容易です。

ドイツ。ドイツは平らで障害がないので、陸軍で国防を考えるしかありません。海軍はおまけです。陸軍の問題点は、フランス、ロシア、オーストリアといった強国に周囲を囲まれていること。**二正面戦争**をどうやって避けるかが、外交や軍事の大問題です。

ロシア。ロシアは陸軍中心です。海軍に力を入れた時期もあったが、主戦力でない。

アメリカ。アメリカは、マハンが主張したように、強力な海軍があればよく、陸軍は本来どうでもよい国です。でも実際、陸軍も強力になっています。海軍が大事なのは、陸戦で進攻されるおそれがなく、海上貿易に依存しているからですね。

日本。日本は島国なので、イギリスと同じで、安全保障のためには海軍があれば十分なはずです。でも日本は、ロシアを念頭において、陸軍にもずっと力を入れてきた。そのため、陸軍と海軍が限られた予算を取り合うことになり、関係が悪くなった。日本の安全保障について、戦略がよく練られない原因になりました。

さて、これら性格の違った国々が複雑な同盟を結びつつ、戦争になってしまったのが第一次世界大戦です。当時は、再び世界大戦があると思わなかったので、単に欧州大戦などとよんでいた。

第一次世界大戦をやってみてわかったことは、従来の戦争と違って、決着までに時間がかかった。一九世紀の戦争は、短い場合は一日から数日間。長びく場合でも数カ月で決着した。普墺戦争、普仏戦争もそうでした。この場合、兵士を動員して、戦争して、帰郷するまでの期間が短い。戦争はすぐすむものだったのです。

ところが、前線が膠着した。**機関銃**のおかげです。機関銃は防御兵器で、敵の突撃を防ぐ力があります。機関銃はまず、日露戦争で猛威を発揮した。第一次世界大戦の一〇年前ですね。各国の観戦武官は、その様子を本国に伝えた。塹壕と鉄条網と機関銃の組み合わせで、前線を突破されないことがわかった。トーチカのように、敵の砲撃にも耐える防御施設も構築されました。こうして防御力が強まると、攻撃力は相対的に弱まります。クラウゼヴィッツの教科書に書いてあるような、主力決戦ができません。大兵力で一箇所を突破しようとしても、鉄道など輸送機関があるので、相手側はありったけの物資を後方から補給しますから、前線は再び均衡してしまう。これが、戦争が長期化した理由です。

こうして、戦争は、総力戦になります。工業力のすべてを傾けて、軍需物資を生産し、人びとを動員する消耗戦になる。先に力尽きたほうが負ける。ドイツが負けた。それまでに、四年間もかかった。戦場で一千万人の兵士が死亡し、それ以外の被害も含めると二千万人とも言われます。

膠着した前線を突破するために、工夫された兵器が、戦車、飛行機、毒ガスです。これが第一次世界大戦の置きみやげで、それ以降の戦争の姿を変えていくことになります。

佐藤 そのとおりだと思います。

日露戦争に関して2点、付け加えさせてください。まず1点、日露戦争でロシアの海軍力が壊滅したことが、第一次世界大戦に大きな影響を与えたというのも見過ごせません。

それまではロシアの海軍力は、ヨーロッパにとって無視できない要因でしたが、日露戦争後は、まったくもって無視していいくらいに弱体化してしまった。だから完全な陸軍体制でいくということになりました。

あと1点は、**トーチカ**の効用がわかったというのも、日露戦争が大きなきっかけだったと思います。ちなみに「トーチカ」はロシア語で「点」という意味で、日常会話で「点」「地点」「ピリオド」と言うときにも普通に使う単語です。軍事用語としては、世界共通単語になっている数少ないロシア語ですが、まさに「点」で防御施設をつくっていくということですね。

それで機関銃が出てきた。日本は弾数が少なかったので、最終的には肉弾戦で消耗戦を強いられ、落とされました。つまり大変な大量破壊戦争になるということです。

少し余談になりますが、ホチキスって機関銃の弾送りのシステムを応用したものなんです。機関銃がなければ、我々が日常的に使ってるホチキスも開発されなかったかもしれない。そういう点でも、機関銃っていうのはおもしろい兵器だと思います。

話を戻しましょう。第一次世界大戦ですが、日本は海軍を地中海に送ったり、観戦武官を戦地に送ったりで、それなりに学習していますよね。でも、それがどの程度、後に生かされたのかというと非常に心もとない感じがします。これはどう考えたらいいでしょう。

橋爪　それなりには勉強したと思うんです。戦車部隊もつくっている。でも総力戦のイメージがわからなかったと思います。日本の国力を超えている。

第一次世界大戦からいちばん多くの教訓を引き出したのは昭和天皇です。昭和天皇は皇太子のときに軍艦に乗って、半年あまりかけてイギリスを訪問し、ヨーロッパを回ってフランスの激戦地を見学しています。戦争直後のなまなましい状況が残っている時期です。日露戦争とは比較にならない大変な戦争だ、と身をもって感じた。それに、日本陸軍が手本としていたドイツ軍が敗れた戦さですから、思うところはあったろう。

佐藤　他方で、日本の、特に海軍の問題として、やはりあくまでも艦隊決戦思想で、しかも近海に引き寄せて撃滅するという発想が根強かった。要するに、最後まで日露戦争の成功体験から抜け出せなかったわけです。

橋爪　日露戦争では、主力艦を並べて敵艦隊を撃滅した。だけど旗艦の三笠も、同型艦の朝日も、みんなイギリスの造船所で造って輸入したものなんです。ドレッドノートという最新鋭艦が出てくる前の、旧式のをわけてもらった。それでやっと勝ったけれど、理由がよくわからないんです。マハンが日露の海戦について論文を書いているんですけど、ロジェストヴェンスキー提督の失敗を指摘していても、日本のよかった点をほめてはいない。だからここから、成功体験を読み取ってはいけなかったんです。

その後すぐ、**航空母艦**が登場します。日本には戦艦派と航空母艦派ができました。井上成美《しげよし》大将は、これからは航空母艦の時代であると見抜いて、提言したんですけれども、戦艦派に押し切られ、大和、武蔵を建造した。戦略なき海軍になってしまった。

佐藤　日本が最初に航空母艦を造ったのは、かなり早かったですよね。

橋爪　早いです。早いですけど、戦術兵器だと見ていて、アメリカ軍とどういうふうに戦うか、戦略がわかっていなかった。

佐藤　それは確かにそうですね。

橋爪　だから、ミッドウェー海戦で負けるわけです。敵艦隊を撃滅するのが戦略目標だってマハンに書いてあるのに、日本艦隊の司令官は、ミッドウェー島を空襲してみるとか言って爆弾を付け替えたりしていてやられた。ああいう司令官は、すぐ軍事法廷にかけて、銃殺しなければならない。何のために出撃してるかわかっていない。

佐藤　はい。わけもわからないまま多機能にして、多重目的を持たせてしまった。

第二次世界大戦と核兵器の登場

橋爪　つぎは、第二次世界大戦です。

これは、ヒトラーが始めたと言ってもいい。なぜ起こったかの説明は省略します。

佐藤　戦争の開戦原因論に関して、第二次世界大戦は、ヒトラーが始めたということで比較的簡単に説明してしまう傾向がありますが、第一次世界大戦の開戦原因が何だったかというと、なかなか難しいところですよね。今でもよく議論になっています。

橋爪　はい。第一次大戦は偶然と言ったほうがいいかもしれない。

佐藤　あともう1つ、私は、**エリック・ホブズボーム**の議論がけっこうおもしろいと思っています。第一次世界大戦と第二次世界大戦を分けるのではなく、まとめて「二〇世紀の三一年戦争」と位置づけるべきだという話です。

ホブズボームは歴史の区分について、一九世紀は暦より長くて一七八九年のフランス革命から一九一四年の第一次世界大戦勃発まで、二〇世紀は暦より短くて一九一四年の第一次世界大戦勃発から一九九一年のソ連崩壊まで、という見方をしています。こうしてみると、非常に極端な時代であるというのが二〇世紀の特徴であると。非常に刺戟を受けました。

橋爪　戦術、戦略面から、第二次世界大戦を考えてみます。

第一に、陸戦に、**電撃戦**という戦術が現れた。ドイツは、陸軍国フランス、陸軍国ソ連を相手に回して、勝てると確信していた。それは、電撃戦を採用したからです。まず航空機で要所を爆撃する。それに続けて機甲部隊が前線を突破して敵の後方に回りこむ。機甲部隊の特徴は、人間が歩かないことです。戦車は自動車と同じ。兵員はトラックやオートバイで移動する。移動スピードが歩兵よりずっと速い。意想外な地点に展開できる。敵の部隊は神経がマヒしたようになり、戦闘意欲を失ってしまう。これが電撃作戦です。ポーランドでもフランスでも、電撃戦は戦果をあげた。ドイツは初戦で大成功を収めます。

第二に、海上戦力の主体が、戦艦に代わって航空母艦になった。理由は明らかで、航空母艦のほうが攻撃力が強力だからです。戦艦の主砲の射程は、数十キロ。それに対して艦載機の行動半径は、数百キロ。これでは勝負になりません。相手の射程の外側から攻撃することをアウトリーチといいますが、航空母艦は戦艦に対してアウトリーチがとれる。艦載機は、装甲弾を抱えて急降下爆撃したり、水面すれすれから魚雷を発射したりする。戦艦は、浮かぶ標的です。第二次世界大戦で、戦艦は少しは出番がありましたが、そのあとは航空母艦が主力になりました。

当初、航空母艦は小型だったので、何隻か組みになり、互いの艦載機が上空を援護しました。いまは大型化したので、一隻で艦隊の主力です。これを**空母打撃群**といいます。

第三に、**戦略爆撃**。第一次大戦のときには前線と後方が分かれていて、後方は安全でした。でも第二次大戦では、爆撃機が敵地深く侵入し、後方の工業地帯や大都市を爆撃できるようになった。ドイツがイギリスを爆撃し、イギリスがドイツを爆撃した。アメリカの爆撃機が日本の主要都市を爆撃して、日本の戦争遂行能力を破壊した。後方は、民間人がいる場所です。国際法上問題があるが、有効であることから、戦略爆撃として定着した。日本への原爆投下は、この戦略爆撃の一環とも言えます。各国の核兵器が、相手国の大都市を標的にしているのは、この戦略爆撃の延長です。

原子爆弾は核分裂反応による爆弾で、通常火薬と比較にならない破壊力です。第二次大戦中に実用化されました。これは直ちに広まり、冷戦の時代を迎えることになります。

冷戦とは何だったか

橋爪　次は、**冷戦時代**。核兵器が標準装備になった時代が、冷戦時代です。

核兵器の本質は、防御兵器である。そう、私は思います。

双方が核兵器を持っていると、核兵器を使用する動機はかなり小さくなる。反撃されると被害が大き過ぎる。可能性としては、先制攻撃をして、相手の核戦力を全部破壊してしまうことができれば、反撃されないから、一方的な勝利が手に入る。こういう核の先制使用への誘惑が、たしかに起こります。そこで対抗策を考える。先制攻撃では破壊し切れないほど、大量の核戦力を配備する。10のうち9が破壊されても、残りの1で反撃して、相手国に致命的な被害を与えることができればいい。この論理が、**相互確証破壊**（MAD）です。こうやって核戦力を均衡させているのが、核大国同士の関係ですね。

核大国でなく、中小の国が核保有する場合もあります。これも、防御的な理由です。たとえば、インドとパキスタン。両国は隣接していて、軍事衝突の危険があり、しかも戦力差がある。パキスタン陸軍は、数にまさるインド陸軍に圧倒されそうだ。そこでパキスタンは核武装した。これでインド陸軍の進攻を阻止できる。インドも対抗上、核武装した。両国の核は、互いを想定した限定的な目的のものだと、国際社会に理解されています。イスラエルの核も、同様に防御的な動機によります。

核兵器の運搬手段は最初、戦略爆撃機でした。やがて**戦略核ミサイル**が開発されます。液体酸素、液体水素を燃料にするもので、核弾頭を搭載し、弾道を描いて地球の裏側に届きます。やがて、移動や格納に便利な固体燃料ロケットが開発され、主流になります。列車やトラックに載せて移動すると、捕捉が困難です。先制攻撃を生き残るのに有効なもうひとつの手段は、潜水艦です。潜水艦は位置を掴みにくい。潜水艦に核ミサイルを積んで遊弋《ゆうよく》させておくと、反撃能力が確保されます。

冷戦時代。通常戦力による戦闘が始まると、相手に対する不信から、核戦争にエスカレートする可能性が高いと、米ソ両国は信じていました。その場合、**核抑止力**が通常戦力にも及ぶので、通常戦力による作戦行動も控えることになります。これが、冷戦です。

冷戦時代には、「**核の傘**」の考え方があった。通常戦力で劣り、核兵器ももっていない中小の国は、自由主義圏の国ならアメリカ、社会主義圏の国ならソ連と、軍事同盟や安全保障条約を結んだ。そして、自国が攻撃された場合には核戦力によって報復してもらうことを期待した。これも、冷戦体制の一部です。

それが終わったのが、ペレストロイカ。ゴルバチョフによるソ連解体なのですが、そこで積み残されたのが北朝鮮です。北朝鮮は、核の傘を離れたので、核保有を選びました。東欧諸国は核の傘を離れると、ＥＵに接近して安全保障の確保をはかりました。日本は、アメリカの核の傘を再定義して、よりいっそう対米従属を深める道を進んでいます。中国は、もともとソ連の核の傘を離れた核保有国だったのですが、単独でアメリカに匹敵する軍事経済大国への道を進んでいます。

佐藤　核兵器は基本的に防御兵器。これはそのとおりだと思うのですが、この文脈で1つ、私がよくわからないのはフランスです。

一九六〇年に、他の核保有国に遅れてきた形でフランスが核兵器を持ちますよね。

その背景から見ていくと、一九五四年、第一次インドシナ戦争からの撤退によってフランスは事実上、ベトナムに敗北し、さらに一九五六年、スエズ戦争（第二次中東戦争）ではスエズ運河を失いました。こうしてフランスは政治力、経済力、軍事力において退潮の一途を辿るだろうというところで、政治力を高めるには核が必要、となった。つまりフランスの核は防衛の論理とは別のところから生まれているという点で、他の核保有国とは少しニュアンスが違うのではないかと思うのですが、いかがでしょうか。

橋爪　フランスとドイツを比べてみると、かつては潜在敵国同士で、実際に敵国であったこともある。でも、第二次世界大戦でドイツが負け、占領され民主化したあとでは、フランスはドイツの脅威を計算に入れなくてよくなったと思います。ドイツが核武装して、自国を脅かすことはないだろう。じゃあフランスは、核を持つのか、持たないのか。イギリスは核を持ち、アメリカもソ連も持っている。核を持たない場合、核攻撃の脅威に対抗するため、アメリカかイギリスの核の傘に入らなければならない。ドイツは敗戦国で日本と似ているので、アメリカやＮＡＴＯの核の傘に入るのは、自然なのです。フランスはいちおう戦勝国ですから、独自外交やフランスの自主性にかけて、ドイツと同じ道を歩むのはプライドが許さない。そこで、アメリカの言いなりにならないため、核兵器と原発を持つんだ、という選択なんじゃないか。するとこの動機は、ナショナリズムです。

佐藤　わかります。

ここでもう１つ、核の抑止力について。

たとえば、「我々がミサイルを開発してイスラエルに向けて撃つ。エルサレムにはイスラーム教徒も住んでいるが、心配することはない。お隠れイマームが現れてイスラーム教徒を守ってくれるから」というようなことを真剣に考えている国家指導者が出てくる。あるいは「我が国はずっとアメリカ帝国主義者と戦ってきた。戦いの末、我が国は消滅するかもしれないが、アメリカ帝国主義と戦って滅亡した首領と人民が存在したんだと、我々の名が歴史に残ればいい」というようなことを本気で考える国家指導者が出てくる。そういう場合には、核抑止は機能しませんね。

橋爪　後者は、一九四五年の日本の焼き直しですね。一億玉砕とか言って、責任のある政府が、国民が全員死ぬことを想定した。これは、国民国家のルールをはみ出ています。

佐藤　そのとおりです。

橋爪　政府が人民を殺すということです。

人びとが一致して、「自分たちの安全や平和や幸福を、上回る価値がある」と考えて、集団自殺をするということは、ないとは言えない。孤立した集団が、全体の利益のために命を捧げましょう。これもありうる。例えば、硫黄島の二万五千の将兵とか。これは残念ではあるけれども、彼らは合理的に行動したと言える。

佐藤　はい。要するに生命至上主義という前提がなければ、そういうことは起こり得るということです。

橋爪　硫黄島の場合には、日本を守るために死ぬわけだから、日本が全滅しちゃったらその犠牲は無意味です。沖縄の場合、民間人が多く犠牲になりましたが、いちおう硫黄島のような考え方と言えなくもない。けれども、一億玉砕は、その論理を踏み越えてます。一億人が死んで、天皇ひとりがどこかに逃げて、国体が守られるという話ならまた別ですけれども、天皇も国民と運命を共にするのでしょう、おそらく。日本はなくなってしまう。

こういうめちゃめちゃなことを言っていた国がある。歴史に名を残すって、同じ考え方ですよ。非合理的だけれど、ある発想の中からは出てきてしまう。

佐藤　一種の限定合理性においてあり得ますね。

橋爪　殉教ですね。世界が間違っていて、自分が正しいと確信すれば、それは起こる。

佐藤　過去にも、たとえばガイアナのキリスト教系新宗教・人民寺院など一定の集団の中では起こったことですが、それが国家規模までいくかどうかということです。

橋爪　国家規模までいけばクレージーです。毛沢東は、原爆は張子の虎だと言った。

佐藤　当時６億人だった中国人民の半分が死んでも、残りの３億は社会主義の楽園で生きるって言っていましたからね。

橋爪　国民全部ではなく、半分なら……。

佐藤　合理性がありますね。

橋爪　それで勝てるのなら。

佐藤　二〇〇五～二〇〇六年にイラン大統領だったアフマディーネジャードは当時、「イスラエルを地図上から抹消する」と公言していました。それが**モサド**（イスラエルの諜報機関）のブラフなのか、それとも本当にアフマディーネジャードがそう思っているのか、かなり調べました。そしてモサドは、アフマディーネジャードが本気でそう考えていると結論づけた。

そうなると少し位相が違う話になってきたということで緊張が走り、イスラエルはイランの遠心分離器を制御するシステムにマルウェアを仕掛けたり、イランの科学者を暗殺したりなど、いろいろとしていました。あのときの緊張感を、私は皮膚感覚でよく覚えているんです。

橋爪　大きな国の指導者か、指導者周辺の人びとが、そういう狂信的な信念を持つことが明らかになった場合、通常の方法では、これを止められませんね。

佐藤　そういうことなんです。

橋爪　ならば、指導者を暗殺するか、さもなければ、周辺の人を暗殺する。そういう対抗措置をとることも選択肢になる。

新兵器が、戦術・戦略を変える

橋爪　戦争では、武器・装備が変わると、戦闘の様相が一変します。そして、武器・装備はわりにしょっちゅう変わるんです。いつも知識をアップデートしておく必要がある。こ

「空母キラー」と「グアムキラー」の射程距離比較

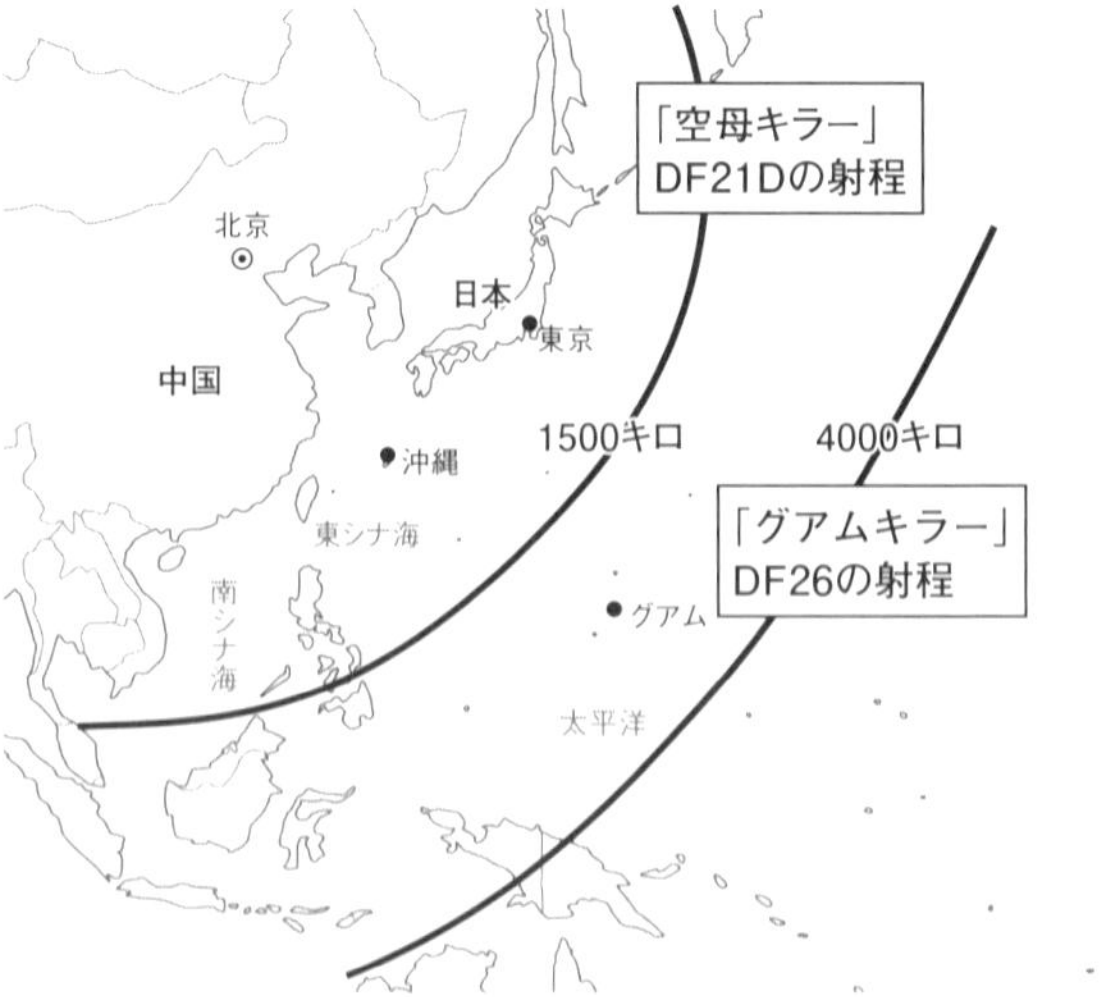

出典：米国防総省の議会向け年次報告書

れから出現しそうな兵器を、考えてみます。

まず、ミサイル。ミサイルは、撃ち落とせれば、脅威でなくなるんですけど、これがなかなか難しくなってきた。今ある迎撃システムとか、イージスとかの前提を超える攻撃兵器が、実戦配備されている。たとえば、**空母キラー**といわれている中国のミサイルです。弾道ミサイルなので、通常のミサイルや巡航ミサイルよりも、ずっとスピードが速い。弾道ミサイルだから軌道を特定しやすいはずのところ、精密誘導型で、目標に近づくとくねくねと進路を変更する。迎撃ミサイルをかわすためです。でも最終的に、正確に目標に命中する。通常弾頭だとしても、空母は大打撃を受けます。もっと射程の長い、**グアムキラー**もあります。これも、進路をくねくね変更する精密誘導型だとしたら、大変な脅威ですね。迎撃はかなり困難だ。

佐藤　技術的には多弾頭弾のほうが、かなり迎撃が難しいんですよね。

橋爪　それは確かです。でもこのタイプのミサイルは、多弾頭のミサイルと違って、本体が精密誘導で目標に命中する、という考え方でできている。そしておそらく、同時に何発も発射するだろう。どれかが命中するように。

アメリカが世界のあちこちに展開している海上兵力は、空母打撃群を主体としますが、その戦力展開の前提が成り立たないのではないか。空母打撃群は、原子力空母が中核となって、海上の空軍基地のように、制空権、制海権の拠点となり、あたりの空域、海域を支配して、敵の軍事行動を阻止する、というのが基本だと思います。その空母そのものが、浮かぶ標的になってしまう。その海域に出動すれば、確実に撃沈されるだろうと予想されれば、そもそも空母キラーの射程の範囲内に、進出することは自殺行為になる。

そうすると、空母打撃群は、戦域に参加できないから、戦力としてカウントできないことになりますね。
　でも、航空戦力を展開することは大事です。中国側を牽制するためにも、たとえば台湾海峡の付近に、航空戦力を展開したい。空母が前線に行けないなら、地上基地を起点に、**空中給油機**を運用して、十分な数の航空機を十分に長い時間、作戦空域にとどめておかなければならない。なかなか難しい課題です。

佐藤　無人航空機が大きく関係してくる問題になります。

橋爪　つぎに、**サイバー戦争**。現在、軍の行動はすべて、コンピュータ・ネットワークで情報連結して行なわれます。このネットワークを妨害することができれば、たとえば指揮中枢をハックしてしまえば、戦力として機能しなくなる。電撃戦と同じ効果がある。これがサイバー攻撃です。
　ではどうする。妨害されない通信としては、量子通信があって、中国はこれを実用化した。こちら側から相手を妨害するのが困難になった。相手はこちらを攻撃する能力を強めている。量子コンピュータも開発していて、完成すれば、こちらの暗号が解読されてただ漏れになる。こちらの作戦行動をリアルタイムで把捉できるということです。こういうサイバー格差は、戦闘の勝敗、作戦の成否を決定づけます。

これに対応するには、こちらも同じことをするしかない。どちらが相手を上回るかは、実戦になるまでわからない。

佐藤 なるほど。あとはタイムラグがどれくらい生じるかというのも重要になってきますよね。技術的にキャッチアップし、さらに実戦配備できるまでにどれくらいかかるか。

橋爪 今は遅れているので、急がねばなりません。

もしも、真珠湾のときのような論理が働くとすれば、アメリカのキャッチアップ計画が明らかになると、当方の優位があるうちに開戦しよう、という誘因が働きますね。

佐藤 わかります。

橋爪 ロボット、無人潜水艦。

無人潜水艦は、どういうものかわかりませんが、サンディエゴにセンターがあって、アメリカ海軍が研究しています。中国も開発しているはずだ。小型のものがうようよ、作戦海域の海中に展開するのだと思います。

原子力潜水艦は、機関を停止できないので、一定の音がします。通常潜水艦は、機関を停止すると無音で、発見しにくいのですが、数日に一度海面に浮上する必要があります。いずれにせよ探知できるので、無数の無人潜水艦が網を張り、敵潜水艦を探知しようとするのです。無人であれば、酸素補給しなくていいので、行動能力がアップする。これに対しては、こちらも無人潜水艦で、無人潜水艦を探知して駆除することになります。ドローン編隊。ドローンは低速ですが探知されにくい。それがウンカのごとくに群がって、敵航空母艦を攻撃、機能停止に追い込む。これに対する対策も、頭が痛い。

無人車両。戦車であれ何であれ、無人で動き回る。無人航空機。極超音速ミサイルを発射直後に探知するため、なるべく発射地点近くに滞空する。日本でも導入を検討していま す。撃墜されても人的被害が出ないですむ。対テロ作戦では、無人機による**標的殺害**（ターゲテッド・キリング）は、実行例が増えています。

無人兵器による作戦行動は、被害が出ないので、戦争をやりやすい。政権は、説明責任を果たしやすい。つまり、戦争の可能性を高めます。そして、戦闘能力を高めます。

いっぽう、いろいろな未解決の問題があります。最大のものは、**倫理問題**です。

クラウゼヴィッツにせよ、ハーグ陸戦規定にせよ、これまでの議論は、戦争は人間が行なうものだという前提でできています。でもロボットは、戦闘員なのか。AIを積んでいて人間と同じようなことをするのですが、人間ではない。

将来、**戦闘ロボット**が開発されたとすると、予算のある先進国からつぎつぎ実戦に投入することになる。そして、潜在敵国が戦闘ロボットを導入したら、当方も導入しないわけにはいかない。

佐藤　そのとおりですね。

橋爪　場合によると、生身の人間と、戦闘ロボットが戦闘することになります。生身の人間は、ロボットと戦闘しているということすら自覚できないかもしれない。戦闘ロボットが生身の人間を殺害した場合、倫理的にどう考えればよいのか。正しいのか。合法的なのか。そういう問題があるのですが、まだ議論が始まってもいない。

佐藤　おそらく実際にそういうことが起こり始めてから、事後的に理屈が構築されてくると思います。

橋爪　はい。私の想像では、これは倫理的、道徳的、法的にハードルが高いので、相手が生身であっても、不法戦闘員でテロリストで、多くの生身の市民を危険にさらし、それ以外に排除する方法がない、などの理屈をつけて、例外規定でまず実戦に投入する。

佐藤　なるほど。

橋爪　一般の戦闘については、相手が先にやったんだということで、こちらも国際法の報復権にもとづき、防衛的に投入する。こういう順番になると想像します。

佐藤　相手がテロリスト云々ということだと、正当な戦争と不当な戦争を区別しようとした中世の「**正戦論**」のリバイバルのようになってきますね。つまり、戦争違法化の条項はあるけれども、「戦争当時国は法的に平等であり、戦時国際法だけを守ればよい」とする無差別戦争観とは別のところで、戦争の道義性や正当性が重視されることになってしまいます。

橋爪　現在でも、相手国が不法行為をしたならば、それと同等な不法行為によって報復する、という行為は、国際法上ぎりぎり許されるのだと思います。相手がロボット兵器を使って、こちらの生身の戦闘員を殺している場合、こちらもロボット兵器を使っても不法ではない、という理屈は成り立つ。

佐藤　なるほど。

橋爪　少なくともその相手のロボット戦闘員を、こちらのロボット戦闘員で破壊することは、全く合法だと思います。

佐藤　それはそのとおりでしょうね。もともとは正戦論で、一九世紀のある時期までは、開戦原因は相手にあるとすることに相当のエネルギーがかけられていた。ところが、今の無差別戦争史観に変わってくると、宣戦布告をしているのかなど手続き的な問題だけが問われるようになった。ただし、戦争違法化の中においても、実質、戦争はやめられませんから、ふたたび新たな正戦論が出てきている。そういうような形で、ますます加速していくのでしょう。すると、戦争における思想の要素、イデオロギーの要素が非常に強くなってくるかもしれません。

橋爪　少なくともわが国は、こういう法的、倫理的側面については、フリーハンドで、徹底的に議論できると思います。アメリカや中国のように、実戦配備をしつつある国は、へっぴり腰になって、この議論はやりにくいです。

佐藤　それらの国の場合、結論が決まっていますからね。まず、どうやって自分たちの行為を正当化するかという結論があって、それに合わせて議論を組み立てることになるから、そこでまともな議論なんて出てきません。

橋爪　そういう、実戦配備がまだまだの国が、国際社会では大部分ですから、そういう国が国際世論を形成して、暴走を防ぐように国際協定をつくれると思う。その言い出しっぺは日本がちょうどいいです。そういうことに慣れていないか知らないが、資格はある。

佐藤　外交官試験の問題を見ると、どの程度、戦争というものが外交の中でウェイトを占めているのかよくわかります。たとえば、戦前の岩波全書に入っていた横田喜三郎の国際法の本は、半分ほども**戦時国際法**に割かれており、外交官試験でも必ず1題、戦時国際法の問題が出ていました。ところが、戦後はずっと戦時国際法のウェイトが一番低い。そもそも試験の準備に使う田畑茂二郎や高野雄一の教科書に、戦時国際法がないわけですから。

橋爪　少ない、じゃなくて、ないんですね？

佐藤　ないんです。強いて言えば、平和に関する法というなかで、戦争法について2ページ程度、ハーグ陸戦規定などに触れられている程度です。たとえば「降伏する際には白旗を掲げないといけない」といった細かい手続きの話以外、何もなかった。だから外交官試験にも、戦時国際法の問題は1つも出ませんでした。そのせいで戦後の我々の世代、つまり、現在60代以上の外交官は、法的な側面では戦争法に弱いんです。

橋爪　今は改善されたんですか。

佐藤　改善されています。我々の次の世代で標準となっている山本草二の教科書には、戦争法が1章分、しっかり組み込まれています。

橋爪　それはよかった。

佐藤　ただ実は、今は国際法の教科書がほとんどない。

橋爪　それは困るじゃないですか。

佐藤　どうしてかというと、外務省のキャリア外交官の試験がなくなって、他省庁と共通の国家公務員総合職試験になったからです。現在、外務省で独自に行なわれているのは専門職員試験だけで、そうなると受験者の数が少ないので、国際法の教科書の需要が少なくなってしまった。それに加えて、司法試験で国際公法をとる人がほとんどいない。そういうわけで国際法のしっかりした教科書が、今、日本語でほとんどないんです。

私のゼミの学生に法学部で国際法を勉強させようにも、そこで使われている教科書が貧弱なので基本知識が身につきません。そんな深刻な問題があります。

橋爪　それは、日本という国にとって、とても致命的な問題だと思う。読者の若いみなさんに、こういう分野の専門家になりなさいって、佐藤先生が呼びかければ、効果があると思います。2人でも3人でも優秀な人がその道に進めば、日本は間違えないですむ。

佐藤　重要なことです。先ほども言ったように、まだ外務省には専門職員試験があります。そこでは国際法は必須ですから、今の外務省では、ノンキャリアの専門家よりも専門職員のほうが国際法を知っています。

ではキャリアはどうかというと、まず国家公務員総合職試験では国際法のウェイトがほとんどないので、国際法を勉強しません。ただ、外務省研修所では国際法の講義が以前より増えており、一応、そこでみっちり学ぶようにはなっています。

とはいえ、外務省の専門職試験に受かるためにねじり鉢巻で勉強した人たちと、国家公務員総合職試験に受かったあとに、成績も出世に影響しないところで勉強する人たちとでは、残念ながら、頭への入り具合が格段に違って当然です。

ですから、外務省の専門職で、国際法の一級の専門家を目指す。あるいは戦争法や宇宙法に特化した専門家になる。今後、そういう若い人が出てくるというのが非常に重要です。これは2、3年、海外に留学して勉強すれば目指せる道です。日本では国際法も戦争法もマイナー分野になってしまっていますが、アメリカやロシアなど、国際的には非常に大きなウェイトを占めている分野です。中国でもそうです。そういうところで、しっかり速歩で勉強してきてほしい。そして勉強したことを日本に還元してほしいと思います。

橋爪　はい、全く同感です。

米中が正面衝突する

橋爪　最後に、**米中対決**について、考えてみます。

これは通説というより、私の観察です。米中のあいだで、

1．**通常戦力による戦争**がありうる。

なぜか。アメリカも中国も、核戦力をそなえた核大国です。冷戦下なら、通常戦力の戦争は考えられなかった。核戦争にエスカレートする危険が高かったからです。

けれども、なにかの理由で、米中の軍事衝突が起こっても、両国ともエスカレートを望まないはずだ、と両国が確信する理由がある。台湾であれ、南沙諸島であれ、偶然か意図的か、軍事衝突が起こった。現場は、真剣にドンパチやると思います。停戦前に、戦果をあげなければならない。でも本国の政権は、エスカレートして核戦争になるとまずい、と思っている。そこで現場で、相手に圧倒されて戦局が不利になったとしても、それを前提に停戦を結ぶ。報復の核攻撃とかはしない。報復の核攻撃をすれば、その反撃として本土への核攻撃がありえて、これは破滅的だ。アメリカも中国も、そう思う可能性が高い。アメリカも中国も、核を保有しているけれど、その手を縛ったまま、足で蹴り合うみたいなことなのですね。

核の報復を心配しないでいいのなら、安心して通常兵器で戦闘ができる。事前に約束がなくても、互いに相手の行動が確実に予測できれば。これが、冷戦との違いです。

さて、通常戦争をすれば勝利するだろうという強い予測があった場合、戦争への誘因が生じます。中国はいま、通常戦力の拡充に熱心ですけれども、その準備のプロセスと考えられないことはない。

佐藤　アメリカを相手に、ということですか。

橋爪　そうです。

では、どこで軍事衝突が起こるのでしょうか。

２．中国の**作戦正面は、台湾**である。

台湾解放は、建国以来の中国の念願です。祖国統一がなしとげられる。世論の一致がはかりやすい。国際社会に対しても、これは国内問題だと言い張れる。アメリカも、「ひとつの中国」の原則は認めている。

佐藤　要するに国家統合という、あくまで国内問題だということですね。現状として実効支配すべきところをできていないから、という理由で国家統合を目指すわけですから。

橋爪　軍事行動の本質は、台湾の実効支配を求める「警察権力」だとする。政治的裁量権の問題だと。この論理に対抗するには、それなりの工夫が必要です。

中国からみて、この軍事行動の目的は、アメリカの介入を排除すること。台湾に、中国の主権を認めさせることです。そのことは、停戦協定なり、条約なりに書き込む。軍事的な勝利も大事ですが、政治的な勝利がもっと大事です。

では、どういう軍事作戦になるか。台湾の制空権を奪う。人民解放軍は数のうえで、台湾空軍を圧倒します。空母キラーが牽制しているので、アメリカの空母打撃群は接近できません。制空権を奪えば、台湾海峡で自由に行動でき、台湾上陸作戦も視野に入ってきます。執拗な圧力をかけて、相手の屈伏をまてばよい。

佐藤 台湾を強制的に占領などする必要はないということですね。

橋爪 占領してもいい。しなくてもいい。

佐藤 降伏させればいいということですね。

橋爪 はい。相手が屈服すればいいんです。

では、中国の軍事行動の目標はなにか。

3．台湾に上陸し、全部または一部を占領して、**停戦協定**を結ぶことです。台湾に、中国の主権を認めさせることが、目標になります。

台湾は、全力で抵抗するでしょう。けれども、アメリカや日本など同盟国の援助なしでは、抵抗にも限度があります。航空戦力が壊滅するとか、艦艇が全滅するとか、中国軍が上陸して戦況がきわめて不利だとかが、協定を結ぶきっかけです。中国側は、そういう状況をうみだすよう、全力をあげるだろう。

　これを阻止するには、大陸に反撃を加えることです。飛行場、ミサイル発射基地などの施設や港湾に反撃を加える。戦争継続を中国に断念させるほどの反撃ができるか否か。

　中国が軍事行動をとるタイミングは、わりに切迫していると思います。そのシナリオを研究し、台湾、アメリカ、自衛隊、オーストラリア、そのほか関係国で調整して、よく準備しておく必要がある。必要ならガイドラインを結ぶ。そうした準備が抑止力となって、戦争を避けることができるのなら、とても合理的です。

　あわせて、長期的な戦略を立てる必要がある。習近平政権は特異な政権ですけれども、やがて終わる。終わったあと、よく似た政権がまた現れるのを、避けられないか。

　中国共産党の特異な点は、情報をコントロールしているところです。党中央の宣伝部や文化部が、プロパガンダを推進する。一定のストーリーを人びとの頭に染みつかせ、ナショナリズムを盛り上げて、すべての資源を戦争目的に動員することを可能にする。人民解放軍に対する支持がある。科学技術に対する信頼がある。アメリカや西側世界に対する敵愾心《てきがいしん》がある。台湾を解放するのが正しいという政治的確信がある。ナチス・ドイツや皇国日本にも似た、イデオロギー国家です。そのイデオロギーの中心は、「中国」。中国を最高の価値とする、**ウルトラ・ナショナリズム**です。

これに対抗するには、**脱イデオロギーのプログラム**を用意することです。中国側の主張に対する、対抗議論を準備する。たとえば、中国共産党が公式に認めていることが歴史的事実に反するなら、その事実をデータベースにし、ウェブで公開する。

ウイグル問題も、中国側のアキレス腱と言えます。これも連動させるとよいですね。

これは「新冷戦」なのか

佐藤　ここのところでまず、メディアが米中関係を「新冷戦」と呼んでいるのは少し乱暴な表現だと思います。

まず**東西冷戦**をどう理解するかですが、文字どおりの「冷たい戦争」が成立していたのはヨーロッパ方面だけでした。冷戦とは要するに、軍事力が均衡しているからお互いに手出しできないという状況ですよね。だから、たとえばソ連時代も含めてロシア軍機がNATO軍に撃墜されるといったことは、東西冷戦中、まったく起こりませんでした。それほどの緊張状態であり、「軍事力が均衡しているから、お互いに手を出さないでおきましょう」ということで、ある意味、ゲームのルールがはっきりしていました。

他方、アジア方面では朝鮮戦争、ベトナム戦争と、実際に火を噴いていました。つまり「熱い戦争」があったわけで、そこも含めて冷戦と呼ぶのは少し無理があると思います。

橋爪　なるほど。

佐藤　では、東西冷戦と米中関係は何が違うのかというと、2つあります。

1つは、ヨーロッパ方面のような**軍事力の均衡がない**ことです。軍事力は、今なお中国よりもアメリカのほうが上回っている。要するに「軍事力の均衡を前提とした冷戦」とは状況が違うんです。

もう1つは、米中の対立関係は**イデオロギー闘争とはいえない**ことです。ソ連は20年の間、国際共産主義運動の拡大を真面目に考えていました。東西の間に、明らかなイデオロギー対立があった。しかし中国は、一応、共産党支配体制ではありますが、中国版のコミンテルンを作って社会・共産主義革命を起こそうなんてことは考えていません。中国の脅威はイデオロギー的な脅威ではなく、帝国主義的な脅威なんです。

勢力が均衡しているなかでのイデオロギー対立では、なかなか折り合いがつきません。これが東西冷戦で起こっていたことですね。それに対して、国家間対立というのは、勢力の均衡によってどこかで折り合いがつけられます。

というわけで、米中関係は冷戦のイメージではなく、むしろ**帝国主義的な対立**と見たほうがいいと思うんです。国益と国益とのぶつかり合い、言ってしまえば縄張り争いをしている。そこでは勢力が均衡している限りは折り合いがつきますが、よもや軍事力で勝るアメリカが中国を追い込みすぎて、中国が最後の手段とばかりに洋上で核兵器を使うなんていう誘惑にかられやしないかと、私は心配しているわけです。

そして中国が国内問題としているところで言うと、中国がやろうとしてきたのは、結局のところ、「**漢人ではない中国人**」をつくるということです。最初は中華民族をつくろうとしたんだけど、道具主義的に、「民族をつくる」ことはできません。だから「同化」でいいということにした。そこで民族未満の中国人を作ることで妥協した。たとえば満州人は、ほとんど同化させました。内モンゴルでも、かなりの程度でモンゴル人が同化しているけれども、個別のアイデンティティは残っています。問題は、こういうアプローチがうまくいかなくなりモンゴル人の民族意識が高まる可能性もあるという点です。それからチベットに関しては、ナショナリズムの中心となるダライ・ラマがインドに出てしまいました。その意味においては、一種のディアスポラ・ナショナリズムを消し去ることはできないということですね。

一方、ウイグルですが、中国は１つ大きな読み違いをしていました。中国はウイグルにおいて、比較的簡単に中華民族をつくれるんじゃないかと思ってきたんです。ウイグルではイスラームのファクターと民族のファクターが複雑に絡み合っていて、独自のアイデンティティが強力に出てくる可能性があるということを読めていなかった。それが今になって可視化してきて、もう後戻りできないところまで来ているというのが現状でしょう。

橋爪　なるほど。

佐藤　他方、台湾海峡の緊張は、日本のメディアで報道されているほど大きくないと私は見ています。

すでに触れてきたように、中国から見ると、実効支配できていない領域を追加的に手にすることができる可能性がある台湾よりも、すでに実効支配できている領域を失うかもしれないウイグルのほうが大きな問題です。中国としては当然、ウイグルにかなりエネルギーをかけないといけません。

ただ、アメリカとしては台湾の問題を大きく取りざたす事情があります。議会で予算をとらなくてはいけないからです。そのためには脅威を強調しなくてはいけない。特に６年といったタイムスパンで、台湾海峡の危機は非常に高いなどと太平洋艦隊の司令官あたりが訴えていることを、防衛省では制服組も背広組も懐疑的に見ているはずです。

アメリカの思惑に関して、もう1つ触れておかなくてはいけないのは中東情勢です。

アメリカはすでに中東にかなりのエネルギーを割いていますが、もし中東情勢がいっそう複雑になってきたら、中国と中東に均等にエネルギーを割くことが難しくなってくる。

現実に、**ハマス**のイスラエル攻撃以来、中東情勢は悪化しています。また、日本ではあまり大きく報道されていませんが、イランの最高指導者ハーメネイーが乗り出してきて勝利宣言を出したり、ハマスの指導者に書簡を出したりしています。こうして、かなりアメリカを挑発しているわけですが、それにもかかわらず、アメリカはイランとは対話路線を続けるとしている。これは中東へのコミットメントを相当に強め、資源的にも急速に投入したことになると思います。

そしてイスラエルでは、ユダヤ人とアラブ人の民族的対立が起こっています。これは今までになかったことです。日本の報道には間違っているものが多いのですが、イスラエルのなかにいるアラブ人は、かなりの数がキリスト教徒です。独立戦争のときはずいぶん対立したけれども、それ以降の関係は良好だったんです。ところが最近は民族的な対立が煽られており、暴力的な衝突にも至っている。その引き金を引いているのは、明らかにユダヤ人の過激派グループです。つまりネタニヤフの抑えがきかないくらいの過激派が出てきているわけですね。

こうなってくると、アメリカはイスラエル問題、パレスチナ問題、イラン問題と、中東にいっそうエネルギーを割かなくてはいけない。そのなかで中国にはどれほどのエネルギーを割けるのかということを、日本は見ていかなくてはいけません。

日本では、どうしても中東に対する関心が低くなりがちです。そのせいで、アメリカや国際政治における中東の役割をファクターとして入れないで考えていると、中国問題ばかりが、プリズム効果でもかかったように大きく見えすぎてしまう。ということで、先ほど述べた、中国にとっては台湾よりもウイグルのほうが深刻であるということも含めて、さまざまなファクターをどう読むのかということが、日本の安全保障上、非常に重要になってきます。

ちなみに、ロシアとの関係でアナロジカルに見なくてはいけないのは、ウイグル問題と**チェチェン問題**は両方とも分離独立運動であり、構造的に似ているという点です。

ではロシアはどう軟着陸したのか。結論からいえば、チェチェンでロシアと戦っているグループと和解したんです。どういうやり方をしたかというと、少し複雑な話になるのですが、こういうことです。

まずコーカサス戦争のときに、ロシアの支配を潔しとせず、中東に移ったチェチェン人たちがいました。

チェチェン人には「**血の報復の掟**」という習わしがあります。これは、男の子が生まれたときに7代前までの男系祖先の名前、生まれた場所、死んだ場所を暗記させ、そのなかに殺された者がいた場合、その子は、先祖を殺害した敵を男系7代に渡って殺さなくてはいけないというものです。

恐ろしい話と思われるかもしれませんが、これは殺し合いを抑制するための掟でした。たとえばカッとなって誰かを殺してしまったら、そこで「血の報復」が発動し、自分の家系は7代に渡って報復されることになります。それに「7代」と限定されていなかったら、敵の血を根絶やしにするまで殺し合いが続きかねません。ひいては部族間の永続的な戦いに発展する可能性がある。この掟が抑止力として作用しており、古来、ソ連時代まで忠実に守られていたんです。だからチェチェン戦争のときは、ロシア兵はみな覆面してチェチェン兵と戦いました。顔を見せると属人的な報復の対象となって、追いかけられ続けることになりますから。

さて一九二〇年代にチェチェンでソビエト政権が成立し、チェチェン人は中東との行き来ができなくなりました。それが一九八〇年代の終わりに開放されると、チェチェン人たちはトルコやアラビア半島に散り散りになります。一九二〇年代から一九八〇年代まで約六〇年にわたり隔絶されていたわけですが、お互いに「血の報復」の掟を共有している同族であるという意識は維持されていました。

ところが、そんな同族意識にも実は違和がありました。チェチェンに残ったチェチェン人はスーフィーなどの影響力が強いイスラーム、一方、中東に散ったほうのチェチェン人は、アルカーイダや「イスラーム国」（IS）などと親和性の高いイスラーム、というように同じイスラームでもだいぶ思想が異なっていたんです。

やがて中東に散っていたチェチェン人たちが、たくさんチェチェンに入ってきました。土着のチェチェン人たちは、チェチェンの独立を目指したかった。しかし、中東から入ってきたチェチェン人たちはチェチェンの版図を超えるイスラーム帝国をつくりたかった。こうして、同民族でも思想と目標を異にする**土着チェチェン人**と**中東系チェチェン人**の戦いが始まりました。

そこに介入したのがロシアのプーチン大統領でした。プーチンは、かつてソ連と敵対し戦った土着のチェチェン人に、ロシアの版図の中にとどまるという1点だけ守れば、あとは自由に統治していい、事実上の国家運営をしていい、金銭もいくらでも投入するという条件を出して和解に持ち込み、チェチェン問題を軟着陸させました。ですから、今のチェチェン共和国には、実はロシア中央政府の実効支配は及んでいません。ロシアはこれで10年ほどエネルギーを蓄えて、今度はクリミアの併合に打って出るわけですが。

ウイグル問題は、このチェチェン問題と非常に構造が似ていると思うんです。

中国は、台湾の統一に動く前に、とにかくウイグルを片付けなくてはいけない。ただしロシア型の片付け方をするとなると相当のコストがかかります。それに、「自分たちこそがウイグルの代表である」として、ロシアと交渉したチェチェン人のように中国政府に対して政治的手腕を発揮し、真剣に渡り合える人々がウイグル側にいるかどうかも大きな鍵ですね。今後、そういう人々が出てくる可能性は、私は十分あると思っています。

橋爪　ウイグルを代表できるグループ（宗教指導者や、政治的リーダーや、ナショナリスト）が出てくるかというと、難しい気がします。

佐藤　チェチェンのケースと同様、おそらく内戦に近い状態にならないと出てこないでしょう。

橋爪　戦争になれば、もちろんリーダーは出ます。

佐藤　戦争になると必ず征夷大将軍が出てくるんです。

橋爪　そういうリーダーになりそうな人びとを、中国政府は片っ端から潰していった。

佐藤　ウイグル人は、カザフスタンやキルギスにも相当数います。トルコもウイグル人の民族主義運動を支援しています。しかしそうなってくると、この問題はかなり長期化するでしょう。中国がそこに足を取られ、何かハンドリングを間違えたりすると、チベットをはじめ、今は弱くなっていますがモンゴル、あるいは状況によっては回族あたりの民族意識に影響を与えることも考えられます。つまり中国は今後、本格的な民族問題に直面する可能性がある。

「中華帝国」と正面から向き合う

橋爪　ソ連が解体した後、中国はどうなるんだろうって、共産党では、いろいろな思考実験をした形跡があります。

佐藤　それはやっていると思います。

橋爪　多党制とか、連邦制とか、複数候補の選挙制とか。連邦制なら、ウイグルはウイグル人に任せ、チベットはチベット人に任せることになる。これなら世界は納得できた。でも、中国はその選択をしなかった。

佐藤　ただし、確かに連邦制は取りませんでしたが、毛沢東の「**十大関係論**」なんかを見ると、少数民族とのバランスを取っていく、そこでは少しだけでも少数民族のほうを優遇したほうがいいということが述べられています。ところが習近平になると、非常にベタな**漢族中心主義**で、毛沢東の枠も逸脱してしまっている。毛沢東の枠組みを守っていれば、もう少しバランスの取れた政策になるんですよね。

橋爪　そこがなぜなのか、なかなかわからないんです。習近平の父親は、柔軟な考えの多民族主義者だったらしい。でも、息子の習近平は、ウルトラ・ナショナリズムになってしまった。毛沢東よりも漢族主義者です。

佐藤　本気でネイションビルディングを始めてしまったんですね。

中国は、いわば旧来の帝国を、ある程度、温存することで維持されてきたという側面があります。要するに党の中央への忠誠さえあればいい。アーネスト・ゲルナーも指摘しているように、産業社会とナショナリズムは親和性が高い。ナショナリズムには耐エントロピー構造があるので旧来の帝国を1つの近しい民族で包み込むことはできるというのがゲルナーの考えです。

橋爪　中国は、ナショナリズムの枠に入り切らない帝国主義だったり、文明だったりするわけです。多様性を持っていたほうが、中国の枠を超えて世界に進出するのに、利点になるはずなのです。

佐藤　そう思います。

橋爪　例えば、中国にもムスリムいますよとか、モンゴル語話す人いますよとか、朝鮮族もいますよとか言ったほうが、相手との接点を見つけやすい。いまはその反対に、だれもが中国人で、漢字がわかって共産党員です、みたいになっている。これは中国にとって、あまりいい選択ではないと思う。でも、習近平政権はこういう政権です。

佐藤　ウイグルなどに対して西側が連帯して制裁をかけても、言うこと聞かないですからね。

橋爪　言うこと聞きませんけども、勢力の拡大にブレーキがかかって、少しおとなしくなるのではないか。

佐藤　はい。ただ、もし習近平後の未来のエリートたちに一定の期待を寄せるなら、圧力をかけていろいろと非難はしても、**制裁**というカードの使い方は柔軟にしないといけません。たとえば日本の対北朝鮮制裁のように、制裁をどんどん追加してかけっぱなしにすると、制裁の効果がまったくなくなりますから。制裁というのは、ある程度の依存関係があるところで、あるときには緩め、あるときには強め、という具合にやって初めて効果を持つわけです。だから、ウイグルに関して日本はG7で唯一、制裁をかけていないというのは、やはり私はおもしろいと見ているんです。

橋爪　なるほど。カードはまだあるということですね。

佐藤　そうです。一方、今の西側、特にアメリカのバイデン政権の外交カードの切り方は、蛇口を締めるばかりですよね。いったん締めたものを開くというのは、なかなかできない。これは民主党政権の特徴でもあります。トランプ前大統領は、北朝鮮への対応なんか見ていても、適宜、締め切った蛇口を緩めることができていました。だから今は、アメリカのペースに付き合っていると、日本はカードを失うんじゃないかと思います。

橋爪　中国の将来を考えるのが難しい理由のひとつは、日本に、戦争のオプションがないことです。困った国があった場合、周りの国がとりうる最後の手段は戦争だった。一九世紀も二〇世紀もそうだった。ではいま、ある主権国家があって、統治権があって、軍隊があって、好きなことをやっていたらどうしよう。

佐藤　戦争は、違法化の傾向にはあっても、禁止されたわけではないですからね。

橋爪　だから、最後の手段は戦争なんですけれども。戦争はやりにくい。それに、中国は強いので、勝てるかわからない。合理的に戦争ができないのです。じゃあ、戦争はやめましょう。でも黙っていられない。ほかにどんな手段があるか、という問題なんです。

西側諸国はなにかというと、「制裁」をかける。気休めで効果がない。中国の留学生が大勢西側に留学すれば、中国は変わる、という期待もあった。なおナショナリストになって帰国した学生が多かった。なかなかよいプランが思いつきません。

佐藤　こういう巨大帝国は、ソ連の場合もそうでしたが、外からの圧力に対しては意外と強いんです。だから取りうる手段といったら、どこかのところで内側から隙間が生じてくる、そのタイミングを逃さないこと。あたかも相手にプラスになるようなアドバイスをしつつ、実際は内側を弱めていくという、そういうやり方ぐらいでしょう。ただ、今の時点では、まだ中国にとって何が弱点なのかは見えていません。まさに「ミネルヴァのフクロウ」なわけで、まだ中国は夕暮れになっていないんです。

橋爪　しばらく前だったら、ハイテクや資本技術を供与しますよとか、工場進出してあげますよとか、いろんな手だてがあったんです。

佐藤　でも、このコロナ禍で中国のシステムのほうは非常に強くなっていますね。

橋爪　そう。分野によっては、中国のほうが先を行っているぐらいで、交流を断つとか制裁するとか言っても、痛くもかゆくもないかもしれない。

佐藤　今までは全体主義批判が一定の効果を上げていましたが、このコロナ禍に直面したときに、実は全体主義的な体制のほうが効果的に封じ込めることができるんじゃないか、という認識が西側政権で強まってしまいましたよね。その意味では、やはりコロナというのも、中国と付き合っていく上では非常に大きな要素だと思います。

橋爪　なるほど。西側世界はもう、人権一辺倒で、専制国家はいけません、の論法一点張りです。

佐藤　そういうやり方は、「アラブの春」の失敗やアフガニスタンのタリバン政権の復活で破綻しているんですけどね。ヨーロッパと北米でしか通用しない、普遍的な価値とはいえないような「**人権**」という概念で押していくやり方は、もう事実として限界があるということです。

橋爪　ただ、人権と呼ぶかどうかはさておき、ウイグル、チベット、モンゴルで起こっていることは、やはり正視できない、ひどいことですよ。

佐藤　それはそのとおりです。ジェノサイドという言葉を使うかどうかは別として、中国がやっているのは、完全に同化しなくては生き残れないようにして、他民族の文化を潰していくということですから。

橋爪　そんなやり方がいいはずはないんです。

佐藤　しかも、それが拡張してきた場合、人ごとではありません。

橋爪　人道、文明に対する犯罪と言っていいと思うんです。何もできることがなかったとしても、こういうひどいことがある、と覚えておく。7代まで血の復讐の権利があるという話を聞きました。そんなことをして反省しないのなら、五〇年経っても、一〇〇年経っても、世界は覚えているぞ。これが大事ではないか。中国が世界とつきあうごとに、相手はそのことを頭の隅に置いておく。中国にも良心的なひとはたくさんいる。誠実なひとも大勢いる。外国の人びとと行き来するたび、そのことを自覚せざるをえなくなる。これが長い目でみて、中国を変えていくのではないか。

中国の人びとが真実から遮断されているなら、西側世界や日本がそれをわきまえてしっかり行動し、理解し、研究し、記憶し、理解を分けもっていく。戦争もできず、制裁も限界があるなら、これがいちばん効果があると私は思う。

佐藤　少し言い方を変えれば、**心に働きかけ**ていくということですね。

橋爪　そうです。これは、中国のためにもなります。

佐藤　現実的な問題として考えると、これは中国の宗教政策ということになってくると思います。

中国は一応、マルクス・レーニン主義、毛沢東思想の延長線上にあるというスタンスはとっていますが、これだけ格差が広がっているなかで、貧困に直面している人、悩みに直面している人に対してはどうするのかと。そこで、まさにマルクスが言うところの「悩める者のため息」としての宗教が必要になるんじゃないかと思います。

おそらく一番いいのは**カトリック**でしょう。どんな体制でも付き合える、そういう宗教をも拒否するとなったら、そうとう軋轢《あつれき》が増してくると思います。だから私は、やはりどこかのタイミングで、中国はバチカンと手を握らざるを得なくなってくると思う。そうすると創価学会とかほかの宗教も入ってくる。中国からすると、最初は無害で、共産党政権ともうまく折り合うと思っていたものが、時間が経つにつれてそうではなくなってくる。そういう形で心に働きかけていくのが一番効果的ではないでしょうか。唯物論を唱えている人たちにとっては、そこが一番弱いところですから。

橋爪　心に働きかけるためには、漢語（中国語）の運用能力が高くなければならない。

佐藤　そのとおりですね。

橋爪　日本は、漢語の運用能力がとても低くなっています。これを強化するのは、ソフトパワーとして有用だと思う。

佐藤　日本で独自に発展した漢文を勉強するだけでなく、きちんと中国語を勉強するということですね。

橋爪　はい。それが資産になる。ヨーロッパ人とか、世界の人びとは漢字がわからない。日常で**漢字**を使っているのは、もう日本人ぐらいなんです。ソフトパワーの基礎はある。あとはやる気です。

佐藤　制度設計が重要です。

橋爪　そうです。目的がはっきりある。

佐藤　中学生から中国語を勉強するという教育体制にしたほうがいいと思います。

橋爪　漢文も大事ですね。

佐藤　そう思います。

漢文を知ることで日本と中国の古典文化を体得することができるのです。

第4章

文明の分岐点
――旧大陸の帝国が、覇権国の座を奪う

文明とは何か

橋爪　最後に考えたいのは、文明と国家です。

いまわれわれは、文明と国家をめぐって、どういう世界史の分岐点にさしかかっているのか。行く末を考えるのには、来し方をふり返らなければならない。そこで、少し古い昔にさかのぼります。

まず、文明とは何か。

文明と似たものに、文化があります。

文化はローカルなもので、言語と結びつき、民族や自然環境と結びつき、伝統や歴史や風俗と結びついている、生活のスタイルです。たとえば、日本人の生活のスタイルは、日本語や日本人や日本の自然環境や歴史や……と結びついているので、日本文化です。世界中に、その土地に根づいた文化があります。

文化は英語で culture、地面を耕すという意味ですね。農業のことです。定着して動きませんから、世界中に、その土地に根づいた文化が営まれています。

文明は、これに対して、文化を束ねたものです。

たとえば、イスラム教は、文明です。多言語です。アラビア語を重視しますが、トルコ語、ペルシャ語、ベンガル語……どんな言語が母語の人びとも、ムスリムです。多民族です。自然環境や歴史がさまざまの人びとが、イスラム世界を構成しています。イスラム教は、いくつもの文化を束ね、文化の上のレヴェルになる。これを**文明** civilization といいます。キリスト教も、多民族、多言語で、いくつもの文化の集まり、つまり文明であると言えます。

文明は、文化の違い、民族の違いを超えて、人類をひとつに統合しようという理想をもっています。文明は、人びとの共通項目として、**普遍的な価値**を掲げます。普遍的な価値によって、民族やさまざまな集団のあいだの紛争を克服し、平和をもたらします。

現代に生き残っている文明は、西欧キリスト教文明、イスラム文明、ヒンドゥー文明、中国儒教文明、の四つです。いずれも巨大な文明で、数千年の歴史をもち、いずれも宗教を基盤としています。これら文明は、異なる点が多いものの、つぎの共通点をもっていることに注意すべきです。

文明の共通点。**正典** canon をもっていること。キリスト教の聖書、イスラム教のクルアーン、ヒンドゥー教のヴェーダ聖典、儒教の五経、がそれぞれの正典です。そこには真理が、「人間はこう考えるのが正しい」「人間はこう行動するのが正しい」というかたちで書いてある。正典は、人びとの**考え方と行動様式の規準**である。人びとは同じ本を読み、同じように考え、同じように行動するようになる。さまざまな文化の相違を超え、共通の基盤に立つようになるのです。同じ本を読んでいるので、互いの考えを理解でき、互いの行動を予測できる。ならば、仲間です。信頼が生まれる。信頼があるから、ビジネスができる。同じ法律に従うことができる。政治的に統一して帝国をつくることができる。などなど。古代からこうして文明が興亡し、現代に生き残ったのが、四つの大文明だ。

なぜ大文明は、ひとつではなく四つなのか。それは古代の、技術の制約による。物資や軍隊の移動を考えると、カバーできる範囲はさしわたし数千キロがせいぜいだった。大陸はもっと広い。そこで、普遍性を主張する文明が複数、併存するのです。

グローバル化の時代、これら四つの文明は、互いに密接に連関することになった。その相互関係を、これから考えていこうと思います。

佐藤　文化というのは、日本的な文脈では、その土地と、その土地でとれる穀物によって共同体ができてくる。律令制が入る前に、原型としてそういうものがあったということですね。

ところで1つ教えていただきたいのですが、一昔前のように**唯物史観**的な考えが強かったころは、原始共同体から、生産力が発展したことで奴隷制になり、封建社会になったという生産力史観でした。でも今は、たとえば西田正規さんが『**人類史のなかの定住革命**』（講談社学術文庫）などで唱えているように、「定住革命」が農業の起源の説明に使われることが多いですよね。要するに、農業によって定住が進み、権力が生まれたのではなく、権力のほうが先行しているという話ですが、このあたりは、どう考えておられますか？

橋爪　農業が始まるためには、栽培植物ができていないといけない。野生種に人間が継続的に介入して、その結果、栽培種ができる。これにはかなり時間がかかります。中東の産地で、タルホコムギとヒトツブコムギが元になって、コムギができた、などがわかっている。紀元前七千年ぐらいだと思います。

コムギが手に入って、農業がスタートしたはじめは平和だった。人口が増え、周辺から異民族が入ってきます。大規模灌漑農業で奴隷制になるまで、数千年かかっています。私有財産がうまれて、階級闘争になると、乱暴に言ってしまえばそうです。マルクス主義が外れているわけではない。

佐藤　なるほど、わかりました。

橋爪　さて、文明のメカニズムには、ハードとソフトの両面があります。ソフトのほうが大事だと思います。ソフトとは、宗教ですね。

宗教の特徴は、人間がコントロールできない、ということです。政治でも、経済でも、文化でもコントロールできない。宗教は、政治や経済や文化を派生させるけれども、それ自身は、それらを超えている面がある。

一神教圏では、その超越的な特性を、神といいます。神は、人間を超えている。インドでは、神というかたちを必ずしもとらないが、人間を超えている真理がある、と考える。中国では、神は出てこないが、いまを生きる人びとの現実を超えた、理想的な過去が絶対の規準だという信憑があります。つまり、どの文明も、**超越**の場所をもっており、そこからテキスト（正典）がもたらされたことになっている。文字は、人間が書くものなのですが、このテキストに限っては、人間が書いたものではないことになっている。

人間が書いたものではないから、人間が手を加えたり、勝手に解釈したりできない。ただ読むことができるだけである。そのテキストがみんなに開かれていて、人びとがそのテキストを読んで、なるほどと思う。「人間はこう考えるのが正しい」「人間はこう行動するのが正しい」と書いてあるからです。迷ったり困ったりしたら、これを読む。

佐藤　一種の鋳型になってくるわけですね。

橋爪　鋳型ですね。同じように考え、同じように行動する人が大量に生産されます。そして社会秩序が形成されます。テキストにこの機能があると気がついたのが、宗教です。

佐藤　非常に説得力がありますね。１つ付け加えるならば、そのテキストは、最初は膨大にあったものが、**キャナリゼーション**（正典化）の過程で、全員が読了できるくらいの適性に収斂するんですよね。

橋爪　読み切れないのではカノンにならないですね。ヒンドゥー教、仏教はテキストが多くてそこが曖昧なんですけれど。儒教、ユダヤ、キリスト、イスラムでは、テキストの分量は適切に短いです。

佐藤　人間にとって完全に暗記可能なぐらいの量、ということなのでしょう。

近代人は記憶力が弱くなっているので、聖書全体を暗記することが難しくなっていますが、近代より前、特に活版印刷が普及する前は、神学部では聖書をすべて暗唱することがカリキュラムに組み込まれていて、通常、みんなできましたよね。日本でも、小学生ぐらいの子どもが論語などを丸暗記していました。今でもイスラム圏の子どもたちはコーランを朗唱します。やはり「暗記できる量」ということが重要だと思うんです。いったん暗記すれば、任意に引っ張り出すことができますから。

橋爪　おっしゃるとおり。ランダムアクセスができなければカノンにならない。

　さて、このカノンが、人びとの考え方や行動様式を深く規定するわけであって、カノンは書き換えられない。これが、文明の自己同一性の根源です。

佐藤　キャナリゼーションとは、つまり閉ざされるということですからね。正典化が行なわれたら、そのあとは付加も削除もされない。

橋爪　はい。強いて例外を言うなら、キリスト教です。

佐藤　なるほど。

橋爪　キリスト教は、**旧約聖書**（ユダヤ教の正典）を、字義どおりに読まないということを、イエスが始めたことになっている。字義どおりに読まなかったら、どう読むのか。新約は字義どおりに読むのかと言えば、それもしないことになっている。

佐藤　ただし、神学の中でも**アンティオケイア学派**（キリストを論じる上で、人間性や歴史性を重んじた一派）の人たちは字義どおりに読みたがるのに対して、**アレクサンドリア学派**（信仰と理性の調和を目指し、聖書を比喩的に解釈した一派）の人たちは、新約でも寓意的に読みます。だから、両方の傾向がある。

橋爪　キリスト教の場合、考え方や行動を拘束する力が、字義どおりではなくて、でもこれはカノンなんだ、という信念だけあって。キリスト教はその後、不思議な流れをとっていきます。現実世界を生きるのに、正典の効力が届かないので、**法律をつくる**ということを、キリスト教徒はやります。その法律は世俗の法律です。これがイスラム、ユダヤ、ヒンドゥー、儒教とちょっと流れが違う。

佐藤　なるほど。

橋爪　文明のソフト面、宗教についてひと通りみてきました。

ハード面に目を向けると、金属がとても大事です。石器では、軍隊は編制できない。金属で、槍や刀、ヘルメットや楯をこしらえないとダメです。

金属の製造には技術が必要です。最初に、青銅（ブロンズ）が実用化しました。青銅は銅とすずの合金で、加工しやすいが高価です。そこでごくひと握りの人びとが武装した。彼らは馬をつないだ戦車に乗り、戦場を支配して貴族階級になった。農民の歩兵は主役にならなかった。**青銅器時代**は階級社会で、貴族制です。

やがて鉄器が実用化した。鉄は製造がむずかしいが、いったん生産されると材料が豊富で安価なので、農民の歩兵も武装できた。重装歩兵の密集部隊が戦車に代わって戦場を支配し、戦力の主体となった。メソポタミアや中国で、貴族制が解体して行きます。中国では**官僚制**が発展し、農民も参加できるようになった。

佐藤　そこではメリトクラシーがとられるわけですね。

橋爪　そうです。貴族は、世襲ですけれども、官僚制は能力主義。これで、文明はさらに文明らしくなった。

金属がハードの一面だとすれば、もう一つの側面は、文字です。

文字は、学習しさえすれば、誰でもどんなテキストも読めるという、オープンな性質があります。口承伝承と、そこが違う。文字は税金を集める際の記録に使った、文明を支える統治技術の一環です。この文字を応用して、宗教のテキストを編纂し、正典にした。だから、世俗の統治技術と、宗教の正典は、互いを刺戟しあって形成されたと思います。この正典の影響下にある社会が、文明なのですね。

陸の文明と海の文明

橋爪　さて、農業を中心に話してきましたが、農耕地帯の周辺に、**遊牧民**がいます。降雨量が少なく、農業には適さないが、草は生えているあたりで、牛や羊やラクダを飼う人びとです。人口密度は低い。

ステップ草原には、馬を飼う人びともいる。**騎馬民族**です。馬に乗る技術は、紀元前一〇〇〇年ごろになって、やっと普及しました。

遊牧民と農耕民は、まるで考え方や行動様式が違います。交易の相手でもあるが、争いの相手でもある。とりわけ騎馬民族は、しばしば盗賊や強盗団に変身します。何千騎もまとまって襲来すると、防ぎようがない。荒され放題になって、農民は、なんとかしてほしいと心底願います。

騎馬民族にいちばん苦しめられたのが中国。メソポタミアやヨーロッパもときどきやられますが、中国は毎年です。そこで、統一政権を求める、強い動機がうまれます。

統一政権は、政治的統一を果たし、農民を主体とする正規軍をつくる。必要なら騎馬民族の侵入を防ぐ城壁までこしらえてしまおう。大変なコストですが、農民はそれを負担する。農民の被害が、いかに大きかったかわかります。**儒教**は、統一政権を支えるイデオロギーを提供します。儒教は言う。学問ある有能な人間が、官僚となって政府を組織するのは正しい。農民が税金を払い、政府の命令に従うのは正しい。そのトップに、皇帝がいるのは正しい。彼らは古典を学び、その原則に従って政治をしなさい。要するに、いまの中国の原則は、二〇〇〇年から三〇〇〇年前にできているのです。

佐藤　なるほど。

橋爪　メソポタミアは奴隷制だった。奴隷は責任がありませんから、こういう考え方には必ずしもならない。インドは、北方が山で、ここまでの脅威はない。

佐藤　ここで出てくるのが中世イスラームを代表するアラブの歴史家、**イブン・ハルドゥーン**だと思いますが、ハルドゥーンは、人間の社会とは、強い連帯意識のある砂漠の文明と、高度な技術や文化のある都会の文明が随時交代し、循環しているものであると唱えましたね。

橋爪　遊牧民は、しばしば農耕地帯に侵入して、そこを統治します。定住すると、遊牧民の文化を忘れて軟弱になり、戦闘力が下がってしまう。すると新しい遊牧民に襲撃されてやられてしまう。イブン・ハルドゥーンが『**歴史序説**』でのべたのはこれです。科学的・合理的な説明です。

でもこれは、中東でありがちなことでも、世界中で起こるのか、わからない。

佐藤　おそらく中国モデルとは違いますね。

橋爪　はい。でも中国でも、遊牧民族が征服王朝をつくって、新しい遊牧民族に悩まされることは、よくあります。

橋爪　ここで、交易について考えてみます。

交易は、資源を移動させて、不均等だった配分をより均等にし、人びとに利益を与える活動です。足りないものを持っていくので、足りなかったひとは喜びます。お返しがもらえるので、持ち出す側も喜びます。喜ぶ双方のなかだちをするのが、商人です。商人は仲介料を取れるから喜びます。ウインウインのゲームで、すばらしい。

すばらしいけれど、高価な物資をもって移動していると、奪われてしまう。

佐藤　だいたいそうなりますよね。

橋爪　商人は集団で移動するんですけれど、盗賊も集団をつくります。どうやって安全を保障するか。一般に陸路は危険です。特に農業地帯は、どの土地にも住民がいますから、いちいち挨拶しなければならない。

佐藤　そうすると当然、課税をしてくる。

橋爪　**帝国**が、自由通行を保障してくれて、安い税金ですむならありがたいのです。帝国ができると商業が発展し、帝国が滅ぶと商業が衰退します。

さて、砂漠があります。砂漠の特徴は、農業ができず、住民がいないことです。われわれから見ると、何の価値もない空き地です。でも商人にとっては、理想的です。ラクダさえあれば、物資を積んで、順調に移動できる。遊牧民は、砂漠を通商路として、大きな富をうることができます。この可能性を、いちばん積極的に追求したのが、イスラム教徒だと思います。

イスラム教の利点、大きな政治的統合を実現できる。法律がひと通りに決まっている。ムハンマドは商人でしたから、**イスラム法**は、商売に便利なようにできているのです。そして乾燥地帯は、ユーラシア大陸の主要部分に拡がっています。すべての地域社会を、結びつけることができる。そこでイスラム文明は、出現してからおよそ一〇〇〇年近くのあいだ、繁栄を謳歌しました。これがイスラムの原体験です。イスラムはすばらしくて、平和で、もうかるのです。

ヨーロッパは大陸の端っこでしたから、こういうチャンスに恵まれない。イタリア人は地の利を活かして、イスラム教徒と商売をし、それなりに儲けました。コショウなどを輸入して、高値で売りさばく。ヨーロッパの富はイタリアに集まって、大理石の建物に化けてしまいました。地中海文明は、イスラム文明のおこぼれです。

佐藤　なるほど。

橋爪　そこで今度は、海路の話をします。

イスラムは、陸路のほかに海路も開発して、インドやインドネシアと行き来しました。でもあまり、本気でなかった。

そこで、それまで交易から締め出されていたヨーロッパの連中が、逆転の発想で、**大航海時代**に乗り出すわけです。

海は砂漠と似ていて、住民がいません。誰にも断らなくても、船さえあれば、自由に移動できる。交易のやり放題です。ただし、外洋を航海できる船は、技術的にむずかしく、簡単に造れなかった。でもなんとか造って、スペイン人やポルトガル人ががんばって、航路を開いた。あとからオランダやフランスやイギリスも追随します。

彼らはインドに向かったのですが、インドのつもりが、**新大陸**だった。新大陸は全部、キリスト教徒のものになりました。これがのちのち、キリスト教文明が大発展する起点になりました。そして、アメリカ合衆国もできた。
アメリカ合衆国はなぜできたのか。
キリスト教世界は、カトリックとプロテスタントに分裂し、仲が悪かった。**プロテスタント**もいくつもの教会に分かれ、仲がよいとは限らなかった。お前、出ていけ、みたいなことを言われ、新大陸の植民地に移住し、自分たちの社会をこしらえなければならないという動機があったのです。そんな動機を、中国人もインド人も、持っていない。イスラム教徒だって、本拠地で順調なのに、世界の果てに植民地をつくる動機がない。南米は大土地所有制で、現地住民や奴隷に働かせた。北米にアングロサクソンの新教徒が入植して、核家族の自作農の社会をつくったのが、画期的でした。

橋爪　この大航海時代を経ることで、現在の世界の大体のすみ分けができました。

佐藤　なるほど。

グローバル世界の形成

橋爪　さて、地球儀を見ると、旧大陸と新大陸があります。**旧大陸**とは、昔から人間が住んでいる場所。**新大陸**は、そこから移民でやってきた人びとが、新しくつくった社会。ここに明確な対比があります。

植物に、外来植物というものがあります。原産地を離れて、新しい環境に拡がる。何とかタンポポみたいに、単一の植相で広い範囲に分布します。原産地に行ってみると、とても狭い範囲に細々と生育していたりする。植生に多様性があって、ひとつひとつの種の範囲は狭いのです。

それと似たようなことが、もともとの国と移民のあいだにも成り立つような気がする。ヨーロッパは、ごく狭い地域に、隣と違った言語や人種や文化の人びとがぎっしり住んでいます。その境界を動かすのはなかなか大変です。でも、いったん移民になって新大陸に移動すると、どこに行ってもドイツ人がいたり、アイルランド人がいたり、の状態になります。だから、外来植物の場合と似たところがある。新大陸の常識は旧大陸に通用しないし、旧大陸の常識は新大陸で通用しないのです。

キリスト教に関して言えば、だいたい地域ごとに、**宗派**が決まっています。

佐藤　そうですね。

橋爪　例えば、ドイツは大部分がルター派で、南側に3分の1ぐらいカトリックがいて、スイスの一部とオランダにカルヴァン派がいて、それから、フランスはユグノーがいたけど追っ払われたからカトリックで、でも、信じていない人が多くて、みたいに。場所ごとに、どんな教会があるか決まっているんです。

ところがアメリカに行ってみると、ちょっと大きい町だと、ワンセットでひと揃いの教会があります。それからヨーロッパにあまりない、メソジストとかバプテストとかの教会もある。クエーカーやモルモン教や、もある。アメリカ人が考えるキリスト教と、ヨーロッパ人が考えるキリスト教は、少し違うのですね。

佐藤　だいぶ違うと思います。

橋爪　つぎは、覇権国の話です。

大航海時代のあと、どの国が**覇権国**なのかが、国際社会にとって大事になります。そもそも、キリスト教世界には**国家**があるのですね。強いのと弱いのがあって、いちばん強いのが覇権国である。これは比較的、新しい考え方だと思います。大航海時代を主導したのはスペイン、ポルトガル。スペインが覇権国になりました。つぎに、オランダがそれに挑戦しました。フランスも優位を占めようとした。そのあとオランダとイギリスが争って、イギリスが覇権国になり、そのあとアメリカになった。これが世界史の流れです。覇権国という、国際社会の仕切り役があるというのが、ここ数百年の西欧世界です。

覇権国は、なぜ覇権国になるかというと、軍事力が強いからです。軍事力は、陸軍力も含みますけれど、この場合、**海軍力**がかなり大事ですね。海軍力は、通商を制することができるからです。

アメリカがいま、覇権を握っています。アメリカは歴史上初めて、新大陸で覇権を握った国です。新大陸の国（移民の国）なので、旧大陸の対立から距離をおきたい、という本能をもっています。ドイツとフランスが戦争をしたとする。ドイツ系アメリカ人とフランス系アメリカ人が争うと、アメリカは困ります。**中立**を保つ。そして、アメリカに対する忠誠を強調する。中立が、アメリカの基本的な外交姿勢だと思います。

でも、覇権国になると、そうも言っていられなくなった。仕切らなければいけません。第一次大戦では英仏の側に立ち、第二次大戦では、真珠湾攻撃を受けてようやくイギリスの側に立ち、冷戦のときにはソ連に対抗して自由主義陣営を率いた。責任の所在と世界戦略をはっきりさせるという、アメリカとしてはあんまりやりたくないことをやってきたのです。

橋爪　さて、**冷戦**とは何か。佐藤先生には釈迦に説法もいいところですが、説明してみます。

冷戦の本質。ロシアにソ連の政権が成立したのが発端です。なぜロシアに、マルクス・レーニン主義の政権ができたのか。東方教会（ギリシャ正教）の考え方が色濃く影を落としていると思う。

ソ連の戦略は、共産主義の**世界革命**です。新大陸は後回しにして、まず旧大陸をすべて支配下に置く。そうすれば、アメリカを孤立させられる、と考えたと思います。標的はまず西ヨーロッパ。それから中東、インド、東アジア（中国）だった。それぞれに困難があります。西ヨーロッパと東ヨーロッパは、大変に文化が違う。西ヨーロッパはソ連に懐疑的です。イスラムは一神教ですから、無神論のマルクス主義に懐疑的です。中国は、はじめソ連の支援を受けて革命を進めたが、付き合ってみたら考え方が違って仲違いした。それやこれやで、ソ連の勢力圏の拡張はうまく行かなかった。アメリカはそれをみて、旧大陸を**分裂**させておけば、アメリカの脅威にならない、と学んだのです。そして、NATOで囲い込んだり、イスラムをけしかけたり、中国に接近したりした。

ソ連は本来ならば、戦争して目的を達成するはずだったが、核兵器があったので、戦争を起こせなかった。強力な同盟国をみつけることもできなかった。そうしてアメリカと対峙しているうちに、国力を消耗し、行き詰まって倒れてしまった。

佐藤　私も同じ認識です。一五、一六世紀の**モスクワ大公国**では、我こそが東ローマ（ビザンツ帝国）の後継国であり、モスクワを古代ローマ、ビザンツ帝国に次ぐ「第３のローマ」とする主張が起こりました。

そして、ロシア人のもつ普遍主義とマルクス主義が絶妙に嚙み合ってしまったことで、**マルクス・レーニン主義**のソ連政権ができた。

また、イスラムについては、たとえば、タタール人の民族主義者、ミールサイト・スルタンガリエフ（ロシア共産党に加わり、反革命と戦った人物。タタール自治共和国設立に貢献した）などに現れているように、「**ムスリム・コミュニスト**（イスラム教社会主義、回教社会主義）」という概念を上手に作り上げました。無神論の社会主義とイスラム教は本来においては接合が難しい。それを「万国の被抑圧民族よ、団結せよ」という形にして、その被抑圧民族をイスラム民族と位置づけることで同盟軍を作ってしまった。

ただ、やはり理論的にはちぐはぐだったので、一九八〇年代半ばに、それまで無理やりこじつけていた反動が一気に来たという感じですね。中央アジアで人口が増え、無神論をとりながらもイスラム系の部族をそのまま残しておいたことが宗教の布教につながり……と。おっしゃるとおりだと思います。

橋爪　イスラムを被抑圧民族と位置づけて、イスラムを支援しよう。そう考えると、逆説的ですが、マルクス主義なのにイスラムを抑圧できないですね。

佐藤　そのとおりです。中央アジアでは、ソ連の赤旗のところにイスラームの緑旗を立てて戦っていましたから。**スターリン全集**を読んでいても、たとえば、こういった記述があります。「ボリシェビキはシャリーア（イスラーム法）を廃止すると言っているが、大きな間違いだ。人民がシャリーアを必要としているならば、ボリシェビキはシャリーアを尊重する」と。かなり無茶なロジックを組み立てていたということですね。

橋爪　そうすると、中国がウイグルでやっていることは、マルクス・レーニン主義、特にスターリンの民族政策とは真逆であることになる。とんでもないですね。

佐藤　そういうことです。『毛沢東選集』の第5巻「**十大関係について**」のなかで、毛沢東は、中国において重要な10の関係性の1つに「漢族と少数民族の関係」を挙げ、「大漢民族主義をふりかざすな」「少数民族を差別するな」「漢族と少数民族の関係をつねに注視し、良好な関係を保て」と書いている。これはスターリンの民族政策の延長線上なんです。

だから、今の中国のウイグル政策は、毛沢東路線から大きく外れてきている。

橋爪　習近平政権を人権思想で批判するのも、もちろん正攻法なんですけれども、スターリンの大原則から外れていて、共産主義として恥ずかしくないのか、とも主張できる。

佐藤　可能ですし、むしろ、特に有効なのは毛沢東でしょう。「十大関係について」の中で、漢族と少数民族の関係を重視せよと説いた毛沢東を完全に無視している。だからこういう混乱が生じているんじゃないかと迫る。そこに、さらにスターリンまで持ち出してくると非常に説得力が出ます。一応、中国におけるキャナリゼーションは毛沢東とスターリンですから、この手は有効ですね。

橋爪　そうすると、外務省や政府関係者、ジャーナリスト、アカデミアの人びとが、毛沢東が当時何を言っていたか、中国がどういう少数民族政策をとっていたかを、つぶさに知っておく必要がありますね。

佐藤　そう思います。実は『毛沢東選集』の4巻までは早い時期に出たのですが、5巻は出たらすぐに封印されてしまった。その5巻の「十大関係について」というのが非常に重要な鍵になるわけです。

グローバル世界の分岐点

橋爪　最後に考えたいのは、グローバル世界の分岐点です。
　これは過去のことではなく、これからのことなので、いろいろお教えいただきたい。
佐藤　はい、私にわかることでしたら。
橋爪　国際社会には、独立国が二〇〇近く集まっています。それぞれが国民国家という考え方でできています。これは、フランス、ドイツ、イギリスなど、ヨーロッパ列強の国々をモデルに、**民族自決**の考え方で、独立できる集団がみな独立した結果です。でもその集団のサイズはどんどん小さくなって、数が増えすぎた。実態も実力もない国が多い。
　国民国家を**ネイション**といいます。ネイションはまず、その言語と文化と歴史をもっていなければならない。もしもこれを、厳密に単一でなければならないと言うと、少数言語や少数民族が存在するので、国民国家を形成できなくなる。そこで、半分目をつぶって、言語も文化も歴史も「だいたい同じ」なので、自分たちは国民だ、ということにした。
佐藤　そのとおりですね。ちなみに、社会人類学者のアーネスト・ゲルナーは、こんな指摘をしています。たとえば言語という指標がネイション・ステイトの形成に非常に重要なものとすると、現実的に成立しうる一つのネイション・ステイトの範囲内に、潜在的なネイション・ステイトが９つ形成されてしまう。だからネイション・ステイトとは極めてシステムとして不安定である、と。つまり、ネイション・ステイトができるたびに少数派は潜在的に不満を抱き、反乱の種を孕む、そういう構造になるものだということです。

橋爪　言語も文化も歴史も民族も、アナログで、連続的に分布しているものなのに、国民国家はそれを、０か１で、ここからここまでがこの国、みたいに切り分けるから、当然なんです。国民国家があるなら主権がある。統治権があり、軍事指揮権があり、徴税権もあり、国民経済を運営する。でもサイズが小さい。サイズを大きくしようとすると、帝国主義になる。西欧の列強がやったやり方です。

佐藤　帝国主義は、中世などの帝国とは構図的に違いますからね。

橋爪　はい。帝国主義は帝国とは違うものです。

帝国主義は、国民国家がベースで、その範囲をはみ出して、海外植民地などで活動する形態をいいます。一九世紀後半から二〇世紀にかけて活発だった。でも、第二次世界大戦を境に帝国主義は解体して、いまでもそれに近いことをやっているのは、まあアメリカぐらいですね。

その後、**EU**ができた。EUは国民国家が束になった国家連合。いずれ国家統合を目指すと言っているが、うまく進んでいない。なかなかに困難である。

もうひとつの現象は、かつての帝国が、国民国家として再生する動き。インドと中国です。どちらも、もともと帝国だったのが、国民国家になり変わった。サイズが巨大で、アメリカよりももっと大きい。

佐藤　だから必ず内部において、必然的に民族紛争を抱えてしまいます。

橋爪　イスラムも、かつての帝国なので、国民国家に再生する潜在力があるとも言える。でもそれは至難のわざで、まったくその見通しがつきません。

佐藤　特に無理な冒険をしているのは「**イスラーム国**」（IS）ですね。観念先行でテロ思想をつくるといった形でカリフ帝国の復活を目指す。これで逆に帝国主義者として復活する道筋を潰してしまいました。

橋爪　イスラム国は、日本のかつての新左翼と似た面があります。普遍主義的で、現状分析を飛び越して、自分たちの政治的理念をすぐ実現すればなんとかなる、みたいな。

というわけで、世界は、アメリカ、EU、ロシア、中国、インド、そのほかの国々、を主体とする、**多極構造の時代**になっていくと思います。

佐藤　はい、賛成です。

橋爪　さて、この多極構造の中で突出した中心は、中国とアメリカです。

アメリカはかつての覇権国で、覇権を維持しているとまだ思っています。そう簡単に退場しない。旧世界に対する戦略を持っていて、世界を仕切ろうとし続けるでしょう。資本主義のセンターでもあります。

中国は、そのアメリカに、経済、軍事、科学技術の面で対抗し、挑戦している。中国の政治は**専制体制**で、それに対して、アメリカや西側世界が拒否反応を示している。専制主義とは、政治的自由や民主主義がない、ということです。ウイグル、チベット、香港、台湾、新型コロナをめぐる対応をみても、大いに問題がある。許しがたい。

これを突き詰めるとどうなるか。昔なら戦争です。

戦争ができないとすれば、次に考えられるのは中国外し。**デカップリング**ですね。口で言うのは簡単だが、深入りし過ぎていて、そんなことができるかどうか不明です。

佐藤　旧ソ連とは関係性が違いますからね。もともと関係が非常に希薄だった旧ソ連とは、冷戦でデカップリングしようと思ったらすぐにできました。でも中国とは、その旧ソ連への対抗という意味合いもあって、一九七〇年代から緊密な関係を続けていた。そのツケが、今、回ってきているわけです。

橋爪　これはアメリカが、歴史を読む力が乏しかった。主としてアメリカの責任です。結果的に中国は、時間がたてばたつほど、アメリカに対して優位に立てるという予測が立ちます。ならば、決定的な対立は、先であるほうがいいのです。

佐藤　なるほど。

橋爪　しかし、中国に対する圧力は、ますます高まっています。関税をはじめとする貿易戦争とか、軍事演習とか、嫌がらせとか。これは中国の誇りを傷つけます。そうすると、何か象徴的な出来事で、西側世界をギャフンと言わせて黙らせよう、という強い誘惑を感じる可能性もある。

佐藤　なるほど。

橋爪　そういうのは、中国は歴史的にうまかったですから。そこで、私の予想では、舞台は台湾になると思うんだけど。これは誰にもわからない。

橋爪　最後に、旧大陸と新大陸の関係について考えてみます。

アメリカの時代は新大陸の時代です。アメリカ合衆国の本質は、古代、中世を抜きにして、**原初の自然と近代とが同居**していることです。ありえないです、こんなこと。でも、アメリカでドライブしていると、都市を外れるとたちまち人家がなくなり、砂漠になったり、森林になったり、山岳地帯になったりする。人間の手がほとんど入っていない。太古のまま。そこに高速道路があって、工業地帯があって。三億人が住んでいるけれど、人口は希薄です。あれだけ土地があれば、三〇億人は住める。そこに三億人ですから、資源が豊かでしょうがない。当然豊かに暮らせます。資本も技術もあるんだから。

いっぽう旧大陸は、住めるところにはぎゅうぎゅうに人が住んでいます。新大陸があることが、そもそも不公平なんです。アメリカはそう思っていないけれど。新大陸と旧大陸の間には、大きな格差やギャップがあります。アメリカはそれに知らん顔で、自分たちは人類の理想の先端を走っている、自由で、民主主義で、選ばれた国だ、みたいな自負をずっと持っている。旧大陸は、自分たちは遅れていてすみません、ヨーロッパは仲間割れをしたし、中国とインドは出遅れたし、アメリカに助けてもらわないとダメなんです、みたいな状況をずっと我慢してきたんだけども、だんだんその時代が終わりつつある。

旧大陸が実力を盛り返している。中国単独でも、インド単独でも、ＥＵ単独でも、だいたいアメリカに匹敵するようになるだろう。とりわけ中国が先頭を切っている。旧大陸の本音は、何でアメリカの言うことを聞かなきゃいけないんだ、です。今まで旧大陸は、アメリカに言われて、アメリカ的価値観につき合ってきたけれども、これからは、アメリカが旧大陸に合わせていく番じゃないですか。中国人が中国人をやめる予定はないと思う。インド人はインド人を、イスラムはイスラムを、やめる予定がない。ロシア人だって、ロシア人をやめる予定はないんです。

佐藤　さらに言うならば、ドイツ人が最近になって、「ドイツ人をやめるつもりがない」という意志を、かなり強く出すようになってきましたよね。EUでは明らかにドイツの存在感が大きいですし、二〇二一年四月に朝日新聞に載ったドイツのマース外相の寄稿では、ゲオポリティーク、つまり地政学の観点をもってアジア外交を考えると述べている。ドイツの公人が、公の場で地政学なんて言葉を出すようになったというのは、私は1つの事件だと思っているんです。

橋爪　一種のリアリズムですね。人びとがそういうリアルな本音で、世界を見て、世界を再定義し、国民国家なり、EUなり、自分たちのグループの正義を代表して、世界秩序に対して発言するとしたら、どうなるか。アメリカの考えるような発言に、あんまりならないと思います。ロシアの声も、インドの声も、中国の声も、イスラムの声も、ドイツの声も、アメリカ的ではない。

佐藤　たとえばドイツでは、**「ドイツのための選択肢」**なんていう極右政党が出てきている。極右というと極端なだけと思われがちですが、その影響力はやはり非常に怖いですよ。

それとロシアについて。今ここに、ロシアでよく売れている『北のキツネ、プーチンの大戦略』という本があります。二〇二一年七月に東京堂出版から『ウラジーミル・プーチンの大戦略』という邦題で翻訳版が出たのですが、著者の**アレクサンドル・カザコフ**君は、私のモスクワ時代の同級生で、私が大宅壮一ノンフィクション賞をもらった『自壊する帝国』（新潮社）の主人公なんです。

彼はロシア人なのですが、ソ連解体のためにラトビアの民族運動、人民戦線をつくりました。ところがラトビアの独立後、ラトビアにいるロシア人の人権が、エスノセントリズム（自民族中心主義）で侵害されるようになった。そこで今度はロシア人を守る運動を始めたら、逮捕されて国外追放になってしまったんです。そのときに、プーチン政権のウラジスラヴ・スルコフというイデオローグに拾われて、プーチン政権側のイデオロギーをつくる人になっていきました。

最近では、ウクライナ東部で、ウクライナからの分離独立・ロシア連邦への編入派が、ロシアの支援を受けて一方的にドネツク人民共和国というのを宣言しましたが、彼は、そのアレクサンドル・ザハルチェンコという軍事指導者の顧問を務めていました。言ってみれば、満州国における関東軍の軍事顧問みたいなことですね。ところが、その指導者が暗殺されてしまったので、三年前にモスクワに戻り、今はプーチン政権を支持する青年運動を指揮しています。

その彼が書いた本書では、おおよそ、こんなことが考察されています。

まず、ロシアは**ビザンツ帝国**の後継国である。かつてビザンツ帝国が、あれほど小さくなっても一五世紀まで生き長らえたのは、ネットワーク国家だったからだ。したがってビザンツ帝国の後継国たるロシアも、西側との広範なネットワークを構築することで生き残っていける。たとえ西側の国であっても、可能性があれば協力できる。

そしてプーチンについては、みなイデオロギーがないと思っているけれども、イデオロギーはある。政治家の発言の背後にあるイデオロギーを読み解くことは哲学者の仕事だ。ということで、新しい**プーチン哲学**を組み立てているわけですが、これがロシアで注目されているんです。つまり、今、橋爪先生がおっしゃったようなことが、ロシアではかなり具体的、かつ知的で高度な操作を加えた形で出てきているので、これは今後、1つの力になってくると思います。

橋爪　グローバル化がさらに進む二一世紀、旧大陸が新大陸に対して優位を取り戻す、という話をしました。この文脈で、中国の「**一帯一路**」政策を考えてみたいと思います。「一帯一路」のポイントは、アメリカを外している、ということです。

佐藤　まさにそこがポイントです。

橋爪　海は、旧大陸と新大陸のあいだにあって、世界をつなぐ。ここ五〇〇年はずっと、海の時代でした。

中国はそれに対して「一路」、つまり陸路の復権を提案した。旧大陸の地政学的な再配置を行なおうというのです。さすが、合従連衡を唱えた中国には、策士がいるものだと思います。

「一路」は、中国を起点に、高速道路で中央アジア、ロシア、中東、ヨーロッパを結びます。物流の幹線です。飛行機より遅いが、飛行機より安い。船より速い。特に海を持たない国々は、中国の借款で社会インフラを建設すれば、中国への依存を深めます。

「一帯」のほうは、海上輸送の安全保障を、アメリカに代わって中国が担当する用意がある、というメッセージになります。旧大陸に、経済連携と政治的共通利害をうみだし、アメリカに対抗しようという狙いがすけてみえます。

佐藤 しかし、中国にそれを担保する国力があるでしょうか。

橋爪 「一帯一路」は、その追い風になると考えているのでしょう。

ただ、考えたいのは、このビジョンが、グローバル化の進展によって、海路と陸路のバランスが変化し、旧大陸が復権していく、という全体的な趨勢と合致した、合理的な面があるということです。習近平政権でなくても、中国の政権だったら、必ず似たように提案をしたでしょう。

佐藤 地政学的な必然性があるということですよね。

橋爪 ヨーロッパは、陸路に熱心でなかった。イスラムは、海路に本気でなかった。インドは、陸路が細かった。中国は、陸路と海路の両方に支えられていた。こういう文明の歴史を背景に、いま中国が、二一世紀の**地政学的再編**の主導権を握ろうとしています。

曲がり角の日本

橋爪　ここまで話に出なかった、日本についても考えましょう。

日本のここ一〇年、二〇年の流れを見てみると、対米追随、**対米従属**をますます深めてきた。この一択でやってきたけれど、日本はいちおう、旧大陸の端くれです。アメリカ的価値観がいいと思うとしても、日本人は日本人をやめるつもりもないのです。

ではなぜ、アメリカに追随するのだろう。北朝鮮が怖いから。中国の圧力を受けているから。理由はいくつも考えられるが、日本としてこれでいいのだろうかと、へし折れたプライドを、どこかにじくじく抱えてもいる。

安倍政権は、一人二役みたいでした。自分から対米追随を深めているくせに、日本会議とつながって、へし折れたプライドを手当てし、日本のアイデンティティを美化しようとする。最近の自民党政権は、このアメリカべったりズム以外の選択肢を持っていない。

佐藤　対米従属論的な形で日本外交を見るとか、日本の国家構図を見るといったことでは、一九五〇年代〜六〇年代に「社会党左派・新左翼」対「日本共産党」の論戦がありました。私は社会党左派が言っていた「日本帝国主義は自立している」という言説が実態に則していると考えています。強いて言うならば日本の対米従属は、それが日本の利益になるから行なっているので、主体は日本政府にある。これに対して日本共産党は「日本は米国の従属下にある」と主張していました。

安倍政権でも、二〇一五年ぐらいを境にして、たとえばロシアへの対応などで同じ政権とは思えないほど外交政策が変わっています。もう少し説明すると、小泉政権のときに、日本外交は対米従属度をかなり強めたんです。そのプロセスにはいろんなことがあったのですが、それ以降も、民主党政権も含めて対米従属は加速していく。実は日本の外交には、日米同盟を基軸とする中で、潜在的に3つの考え方の潮流がありました。

1番目は**親米主義**。イデオロギーにまで高められたほどの対米従属です。この流れにいた人たちは、集団的自衛権と沖縄の基地問題さえ確保できれば、未来永劫、日本は安泰だという考えでした。

2番目は**アジア主義**。韓国大使やフランス大使を歴任した小倉和夫さんなどが典型的だったのですが、日米同盟を基調としつつも、日本はアジアの国だから、やはり中国との関係を戦略的な観点から詰めて、提携を深めていかなくてはいけないという考え方です。寺島実郎《じつろう》さんなどが言っている「三角形外交」も、この流れにありますね。

3番目は**地政学論**という考え方です。これは外務省でロシアを担当している人たちの間で強かったんです。この人たちは、ソ連の共産主義体制の時代は日米同盟堅持、ソ連に厳しく向かっていくという考え方で、反共です。反共だけど、反ロではなかった。すなわち、ロシアというのは通常の帝国主義国であるから、共産主義というイデオロギーがなくなって国際共産主義国家をやめるのなら、一定の提携ができるという考えでした。

そんな中、一九九七年の七月に橋本総理が**経済同友会演説**というのを行ない、NATOの東方拡大に対して、日本は別のユーラシア外交を行なうと明言しました。すなわち、距離が遠いロシアとの関係を近づけることで、「日米中ロ」という4つのセンターがアジア太平洋地域に移るよう変えていく。こういうことを言い始めたんです。これが、その後のロシア接近につながってくるわけです。

その後、二〇〇一年に小泉政権が成立すると、まず地政学論者たちが追い払われ、その次にアジア主義者たちが追い払われ、結局、外務省の中では親米論者しか動けなくなった。中国との関係も、ロシアとの関係も、ほとんど発展しなくなってしまいました。

ところが、安倍政権が二〇一五年ぐらいを境に方針を大きく転換して、まず対ロシア政策を変えていきます。いろいろと動いたのですが、その最終的な着地点は二〇一八年、かつての冷戦下の4島一括返還という物語をやめて、五六年宣言に基づく2島、つまりサンフランシスコ平和条約のラインに戻るということを始めた。さらにはアメリカのイージス・アショア導入を中止する。こういった選択ができるようになってきたわけです。

また、中国との関係においても、台湾有事に日本のコミットメントを求めるアメリカに対して、二〇二一年四月、日米首脳会談に臨んだ菅政権は、共同声明であくまでも「**台湾海峡**」に言及するに留めました。中国に敵対的なメッセージを送らずに済んだということです。

そして、これもすでに触れたことですが、日本はG7で唯一、ウイグルについて中国に制裁をかけていません。また、ロシアの反政権活動家、アレクセイ・ナワリヌイの毒殺未遂に関しても、日本は、ロシア高官の資産凍結など制裁を行なったEUやアメリカと足並みを揃えていません。さらに、ミャンマーで二〇二一年二月に起こった軍事クーデターについても、日本は中立的であり、アメリカがいち早く非難し、制裁再開を匂わせたのとは別の流れを行っている。

このように、以前との比較の上では、安倍政権の後半以降は、過去二〇年のなかでもっともアメリカの言うことを聞かない外交になっています。

橋爪　なるほど。ならばますます、その背景を伺いたいですね。それが、どういう長期的な配慮、政策によって導かれているものなのか。
外交は、多元的ではありませんか。日米関係といっても、日中とか、日ロとか、そのほかの関係との連立方程式として成り立っていると思うので、それを、誰がどのように責任をもって考えているのか。また、政策当事者とは別に、われわれも十分に問題を議論していきたいと思うのだが、この点がとても心もとない。

日本外交の無意識

佐藤　まず、日本の外交当局者は、基本的に「よらしむべし、知らしむべからず」、つまり外交はエリートだけでやっていればいい、というのが本音です。

パブリック・ディプロマシー（公報文化外交＝広報や文化交流を通じ、民間とも連携しながら外国の国民や世論に直接働きかける外交活動）が重要といっても、たとえば北方領土問題が動かなくなったのは、そのパブリック・ディプロマシーの結果ですから、やはり外交は数人のエリートさえいればできるし、そのほうがいいと彼らは考えているわけです。

なおかつ、かつて初代国家安全保障局長の谷内《やち》正太郎さんが企画立案し、麻生太郎さんが提唱した「**自由と繁栄の弧**」（北欧からバルト、中欧、東欧、中央アジア・コーカサス、中東、インド亜大陸を経て東南アジア、北東アジアへと至る広範な地域で、自由と民主主義、基本的人権などの普遍的価値を広げる価値観外交を行ない、政治、経済の安定とテロの根絶を実現し平和を構築するという構想）なんていうのは、2代局長の北村滋さんや当代局長の秋葉剛男《たけお》さんから見れば誇大妄想ということになります。

二〇一五年以降、安倍政権の基本的な考え方は「勢力均衡論での棲み分け」になりました。つまり、アメリカの力が弱くなってきている、中国の力が強くなってきている、というなかで**棲み分け**を図り、均衡を見つけていこうということです。価値観を表に出していくという外交は、ここ六〜七年で後退しているわけです。今の政権エリートの間では、中長期的に日米、日中の2国間の関係において**日本の利益の極大化**を図っていく、そして日本の**独立性**を高めていくというのが、一応のコンセンサスになっているように見えますね。

橋爪　独立性を高めるとは、どうやるんですか。

佐藤　1つひとつの懸案に個別に対応していくピースミール方式をとるということでしょう。具体的にいうと、たとえばロシアとの関係を改善するのは日米安保条約の基本原則に抵触しますね。歯舞諸島、色丹島の**2島返還**が成った後は日本の実効支配になり、そこに米軍の展開を認めない。こういう外交に踏み出すというのは、日米同盟全体の構造の見直しになるでしょう。兵器なども、ずっとアメリカから買ってきましたが、国産兵器が増えてくると思います。こういったところから、やれることをやっていくという感じです。

この国の外交は、誰かが大きな戦略を描き、目的論的に進んでいくという形ではありません。だから**対米自主性**を確保し、ちょこちょこと隙間を見ながら、**独自の外交**をやっていこうという雰囲気が全体的にかなり強まっていると思います。

日本のこうした外交方針は、ロシアからはすでに見えています。中国からも少し見え始めているんじゃないか。しかし、まだアメリカからはよく見えていないと思うんです。そうなると、アメリカが察知したころに、日米がガタンとぶつかる可能性はありますね。その閾値がどこにあるのか。

日本の政治エリートにとって、トランプ政権の出現とバイデン政権の出現というジグザグは、やはり相当な衝撃なんですよ。この人たちと一緒にやっていて大丈夫かと、みな思っている。こんなところからスタートしているのではないでしょうか。

ただ、最大の問題は、先ほども指摘したように、この国の特に外交、安全保障や情報を担当する官僚たちの根強い**閉鎖主義**と**エリート主義**です。これを破らないとダメだ。でもかなり根強いものだから、破るといっても、大変です。
さらに言うと、正式の意思決定機関とは別のところで、重要な意思決定がされていますね。この前、朝日新聞で安倍外交を検証する記事がありましたが、そこで匿名の外務官僚が明かしたところによると、官邸には**裏会談**があって、その裏会談から誰かが入ってきて決めてしまう。これはもはやディープステートと一緒ですよ。そこでポイントになっているのは何かというと、高校の同級生や大学の同期などのネットワークですよね。
外交に関しては、そういうところで実際に重要な意思決定がなされていて、本来の首脳会議や省庁間の意思決定システムのところでは決められていない感じがします。昔からそうだったのかもしれません。

橋爪　現状だけをみても、大変に困った状況ですね。

佐藤　そうとう困った状況なのは間違いありません。

橋爪　その閉鎖主義っていうのを何とかしなくちゃというのは、みんなもっと思ったほうがいいですね。

佐藤　はい。個々の官僚たちの能力は、世の中で言われているほど低くないし、士気も低くない。これが意外と問題なんです。今の権力の中枢にいるのは、たとえば金をちょろまかそうと思えば簡単にできるけど、まず、そういうことをするような人たちではありません。彼らなりの独自の国家観や使命感がある。問題は、それが相対化しにくいことです。哲学的な訓練や倫理学的な訓練を積んでいないせいで、**独断的・独善的**に国家像を描いてしまうんですよね。

橋爪　秘密外交に意味があるのは、ヨーロッパの古典的な主権国家で、君主に委託され、職能のある外交官が国民と無関係に、君主のために、いろいろな外交技術を駆使して最善の解決を図るという場合。有能な外交官は、外国に引っこ抜かれる。プロの外交官に任せておけ。この時代には、とても正しい。

けれども、国民主権の民主国家で、国民がコミットする倫理や道徳や価値観があって、外交や国際関係を研究するアカデミアもあって、ジャーナリズムや世論もあって、専制国家や民主国家がいろいろあるときに、ひと握りの職業外交官が理解するパワーポリティクスだけで考えていいのか、という問題がある。

佐藤　おっしゃるとおりです。日本の今の外交の仕組みはどうなっているのか、外務省の地位が高い理由は何かというと、外務省の特徴を考えれば極めて簡単です。

まず1つめに挙げられる特徴は、**親任官**の数が異常に多いことです。天皇から直接辞令を受ける官僚が一六〇人もいるなんていう役所は、ほかにありません。ちなみに次に多いのは検察庁です。ともかく外務省の基本の意識は「天皇の官吏」なんです。

もう1つの特徴は、今の話とも強く結びついているのですが、外務省というのは非常に右翼的な官庁だということです。どういう意味で右翼的かというと、外務官僚に「**皇統（天皇制）を擁護**したのは我々だ」という強い自負があることです。要するに、軍部の馬鹿どもによって、天皇制が崩れていた可能性があった、それを阻止したのは我々であるという意識ですね。

あのポツダム宣言受諾への連合軍側からの回答（バーンズ回答）にあった「天皇および日本国政府の国家統治の権限は、連合軍最高司令官に subject to する」を、「従属する」でなく「制限の下に置かれる」と訳すという気転を利かせ、軍部の激昂を未然に防いだ。そして連合軍が入ってきたときには、取引をして直接ではなく**間接占領**にした。そのうえで、日本の国体のなかに日米同盟を組み込むという道筋を作った。

すべて外務省にしかできなかった。だから、我々がいなければ天皇制は崩れて日本国家もなくなっていたという、強い自負をもっている集団が外務省なんです。その1つの証というべきか、宮内庁の役職も外務省出身の人間が多い。

　こういう外務省独特のミームが、外務省内でも見えている人と見えていない人がいるのですが、中枢にいる人の間では完全に共有されていますね。では外務官僚は、国民のほうを向いているのか、それとも天皇制維持のほうが優先事項なのかといったら、究極的には天皇制の維持だと思います。つまり外務省って、ある意味では、**日本国憲法と合致しない**人たちのコア集団なんです。

橋爪　それって困るじゃないですか。

佐藤　困りますが、現実です。

橋爪　まず、外務官僚が権限を持っていて、実際の政策を決めるのはやむを得ないというか、職責なんだから、それでいいとして、それに並行して……。

佐藤　国民によって選ばれた政治家によるコントロールが重要になります。

　しかし、自民党の部会なんて、「てめえ、ふざけんじゃないぞ。ウイグル問題なんてのは、もっと厳しくやれ。なに外務省はフニャフニャしているんだ。殴られてえのか、おりゃー」っていうような政治家連中を日常的に相手にしているわけですから、外務官僚は「ああ、そうですか」と答えて、それで終わりです。

橋爪　自民党がしょうがないのは、それとして……。

佐藤　立憲民主党も似たようなものです。外務官僚としては有能であった人でも政治の世界に行き、結果的につまらない人間になってしまう例が多いのです。

橋爪　例えば、将棋を例にすると、将棋っていうのは、棋士がいて、相手がいて、棋力の限りを尽くして駒を指し合って勝敗を決するわけです。当人たちしかできないじゃないですか。だから、それでやむを得ない。でも、外野が何をやってるかというと、ここではこういう選択肢がありますねとか、こういう手を指すと相手はこう対抗してくるからむずかしいですねとか、解説する。最近はＡＩがあって、何億手も先を読んで評価値を出したりする。だからといって、棋士が手を変えるわけではないのですが……。

佐藤　変える場合もありますけどね。

橋爪　その棋士の戦いと、外野の人びととの一体感が生まれると思うのです。

佐藤　それは非常に重要な問題です。外交論の古典中の古典である**ハロルド・ニコルソン『外交』**という本がありますよね。これは外交官向けではなく、外交に従事することになった政治家たちに向けて、外交とは何かを説いた本です。まさに外野に立つ人たちのための外交入門書なんですよね。日本ではよく外交官志望の人が勘違いして読んでいますが。そういうリテラシーが、やはり政治家やマスメディアにおいて非常に希薄であるということとですね。

１６６ページでも話しましたが、外交官のキャリア試験をなくしてしまったがゆえに、50代以下の外交官は国際法に非常に弱くなっている。こういうミクロの問題はまだまだあります。

戦前から、おそらく一九七〇年代くらいまでは、政治エリートのなかに外交を経験している人がかなりいました。でも今はほとんどいません。外交というものが、勇ましいことを言えば言うほど有権者に好まれて票をとれるという、ポピュリズム的な道具になってしまっている。特に小泉政権以降、著しくなってきた傾向です。それが今や復旧不能な状態になっていて、現場の外交官たちは、ある種、諦めの心境にあり、それがまた閉鎖主義を加速しているということだと思います。そんな非常に面倒な罠に、今、私たちは落ちてしまっていますね。

今までにお話ししてきた対ロ外交や対中外交にしても、対ミャンマー外交にしても、私たち外交屋の世界では常識なのですが、一般的にはあまり知られていません。あるいは国際情勢を見る際にも、やはり大ざっぱで短絡的な見方しかできていませんね。

たとえば二〇二一年六月にジュネーブで**米ロ首脳会談**が行なわれましたが、この背景にあるのは中東情勢です。アメリカは、当初思っていた以上に中東に深入りし、半ば泥沼にはまりつつあるにもかかわらず、イランとの対話路線は維持しているので、外交のリソースのほとんどを中東に向けなくてはいけない状態です。

そのためロシアに関しては、**価値観外交**で抑えるというのはやめて、手仕舞いを始めている。ジュネーブでの首脳会談でも、「核戦争の勝利者はいない」ということをアメリカが飲み、さらには核を含めた軍拡に警鐘を鳴らすということで一致しました。今回は非常にいい共同声明になったと思います。

価値観外交で抑えないというのは、おそらく中国に対しても、同様の方向になっていくでしょうね。したがって米中対立というのが、二〇二一年前半までとはまったく違った様相になっていくと見ているんです。それもあって、私なんかは台湾海峡問題をあまり重視していません。

このように、中東という背景がアメリカの外交に与える影響というのは、やはり非常に大きいわけです。

ところが日本では、中東に関することとなると、「パレスチナがかわいそう」みたいな話しか出てきません。たとえば、ガザ地区からの攻撃で使われているのはイラン製のロケット弾であるとか、ハマスといってもポイントは**シーア派**（イランでは多数派のイスラム宗派）のイスラム聖戦であるとか、そういうミクロの面が恐ろしく見えていない。そういうところがアメリカ外交に非常に大きな影響を与えるというメカニズムも見えていません。

アメリカの外交って、こと中東イスラエルの問題が関わってくると、振れ幅が非常に大きくなるんです。

二〇二一年六月にイスラエルのネタニヤフ首相が失脚しましたが、何が起きていたかというと、一九四七年のイスラエル独立戦争（パレスチナ戦争）以来初めて、イスラエル国内で、**アラブ人のキリスト教徒**とユダヤ人が衝突した。そしてハマスとしては意外なことでしたが、イスラエル国内で内紛を起こすことができて、それが、イスラエル側が比較的早期に停戦に応じる理由となりました。これでネタニヤフが退陣し、新政権を担うことになった**ナフタリ・ベネット**は極右政党の党首です。ネタニヤフ下ろしで後釜に座り、新たな連立政権ではアラブ系政党とも組んでいるので、ことによると不満を持つ極右によって暗殺される可能性すらありますね。

このあたりまで、アメリカはよく読んでいると思います。だから外交のエネルギーのほとんどを中東に向けざるを得ません。もう構造的に、そう簡単には中東から足抜けできないという状況で、実際のところロシアや中国に差し向ける力はないので二の次になってくるわけです。

日本はそれを見て、外交的な戦略を考えなくてはいけません。

ロシア関連では、プーチン大統領が主要通信社に対して行なったオンライン会見で、北方領土について問うた共同通信社社長に「日本の主張は4島返還、2島返還と二転三転している」と批判しつつ、「4島返還に合意したことはないと言っているが、重要なのは、2島返還に合意したことはないとは言ってないという点だ」といった回答をしています。これは明らかに水を向けているでしょう。こういうミクロレベルのことが起きているというのが、実は我々が非常に関心を持つところなんです。

橋爪　ここまでのお話は、おそらくその通りで、瞬間風速としてはとてもよくわかるんです。でも、知りたいのは、一〇年、三〇年、五〇年の流れなんですね。

アメリカはどうもそういうのが苦手で、あんまり民間の人びとも、そこまでは読めてない気がする。

アメリカは、ジャイアンだ

佐藤　アメリカ外交の特徴を、まとめてみましょう。

アメリカ人は、基本的に物事を見通すことが苦手な人たちです。たとえばロシアに関しても、専門家たちは、ずっと民主化すると思ってきた。ところが実際はそうなっていないわけで、読み間違えのしっぺ返しを、今、食らっている状況です。

EUとの関連でも、アメリカ人はドイツの役割を完全に勘違いしています。

たとえば、220ページでも触れたことですが、ドイツの外相がアジアについて「地政学」という言葉を使っています。輸出大国のドイツは、今までずっと経済的チャンスという観点からアジアを注視してきたが、今後は「経済」「地政学」「グローバル課題」の3つの観点からインド太平洋戦略を描かなくてはいけない、と明言しているんです。

第二次世界大戦の負い目があるはずのドイツが、地政学という言葉を公の外交で口にする時代になっている。これは**ドイツの帝国主義**が強まっているということであり、そのドイツが「アジア人のアジア」なんていうことを言い出しているわけです。現に2021年夏にはインド洋にフリーゲート艦を送り、日本や韓国、オーストラリアとの共同訓練や、この海域の監視活動に参加しましたよね。

こういうことを、アメリカ人はぜんぜん見抜けていません。中国ばかりでなく、今後、世界がどうなっていくか、アメリカが勝手に描いた設計図は実にとんちんかんなんです。

ひょっとしたら正解がわかっていてわざと間違えているんじゃないかと思えてくるくらい、よく間違える。

橋爪　なぜ間違えるのでしょう？

佐藤　その原因は、アメリカの成り立ちにあると思います。アメリカという国は、**イデオロギー先行型**です。他国を見るときにもイデオロギー先行で理解しようとするから、相手の文化や、宗教がもつような内在的拘束力が皮膚感覚でわかりづらいのでしょう。

橋爪　努力しても、間違えないようにできないのですか？

佐藤　そういうことです。

橋爪　そういう困ったアメリカが、でもまだ大きな力を持ち、日本にもいろいろ注文を付けているわけですが、これもどうしようもないことですね？

佐藤　日本には、バカなふりをしながら、アメリカのいうことを聞かないようにするというしたたかさが必要ですね。私から見ると、それは実際に安倍政権の後半から現れてきていて、かつてないくらい日本外交は自主性を発揮しはじめています。具体的にいえば、北朝鮮のミサイル脅威に対抗するため、アメリカの新型迎撃ミサイルシステム、**イージス・アショア**の導入計画が進められてきましたが、二〇二〇年半ばに中止されましたね。なんでだと思います？

橋爪　なぜでしょうね。意味がないからですか？

佐藤　そういうことです。ひと言でいえば弾の値段です。イージス・アショアの弾は1回に2発撃たなくてはいけない。特定秘密だから値段は公表していませんが、だいたい1発あたり35億～40億円です。2発撃つと80億円かかります。北朝鮮のミサイルは、日本円に換算すると1億円くらいで、向こうは労働力が安いので6000万円くらいでできるはずです。

一方、日本の防衛予算はガラス張りですから、イージス・アショアの予算を80で割ると、持っている弾数が割り出せます。北朝鮮が、それよりも5発多くミサイルを作ったら、イージス・アショアは弾切れになって敗れます。

だから意味がないということで、イージス・アショア配備の計画を蹴っ飛ばした。と同時に何をしたか。二〇二〇年の閣議で、**スタンドオフミサイル**をもつことを決めるわけです。スタンドオフミサイルは、北朝鮮全域に届きます。最初の2発はノルウェーから買っていますが、3発目からは三菱重工で国産する。しかも1発1億円でつくれるので、弾切れにもなりません。

以前の日本は、こういうような、したたかな立ち回り方をしてきませんでした。ただ、かなり**無意識**にやっているとは思いますが。

橋爪　無意識なんですか？

佐藤　無意識だと思います。今の首相官邸や外務省の動きを見ても、防衛体制含めて、無意識のうちにアメリカから距離を置き、自主外交にシフトしていると見受けられます。だからアメリカでは日本について激しい警告も出ています。1つ最近の例を挙げると、MITの**リチャード・J・サミュエルズ**という教授が出した『**特務**（スペシャル・デューティー）』（日本経済新聞出版）という本には、日本は最近、大日本帝国のネットワークを作り始めたとか、いずれ中国と結託してアメリカに対抗するだろう、なんてことが大真面目に書かれている。そういう本が、国際政治誌『フォーリン・アフェアズ』で、今年一番の推薦書として紹介されているんです。

橋爪　そういうオプションもあるという話ならわかります。

先ほど「無意識」とおっしゃったのが、非常に気になりますね。研究に研究を重ねて、合理的に選択してるんならまだわかるんですけど、無意識なら、自分でコントロールできないじゃないですか。

佐藤　そういうことだと思います。目的論的な思考をもって着地するのではなく、無意識に流されるなかで自主外交に進んでいると私は見ています。

橋爪　対米従属が、無意識な対米ルサンチマンになったら、ややこしいなと思います。

佐藤　この点について最後、結論だけ述べさせていただくと、アメリカをどうやって抑えるかという問題です。アメリカは『ドラえもん』でいうと**ジャイアン**です。難しいことはわからないけれども、力はある。だから変に怒らせないというのが重要ですね。

あと、中国にいろいろな技術や資本をせっせと投資していくというのは、コミックスでいうとさながら『課長 島耕作』の世界ですよ。一生懸命、投資した挙げ句に、最終的に会社はぼろぼろになっていく。あのコミックスが、そのまま日本経済の縮図のように見えてしまいます。

橋爪　いろいろ困ったことがある。

ジャイアンについて言えば、ジャイアンにわかるように説明する能力を身につけないとダメなんじゃないですか？

佐藤　あるいは、ジャイアンはどうせわからないものだと決めて、スネ夫とか他の人たちと組む。うまく抜け駆けをするというのも1つの手です。

橋爪　せめてその程度の知恵は持ってもらいたいものです。

佐藤　こうみてくると、アメリカ人はつくづく、イスラエル人やロシア人、あるいはイギリス人などと違うなと思いますね。

国際社会の先を読むことも大事ですが、むしろ、これから我々のほうを変えていかなければいけないと思います。なぜここ一〇年ほど、私が**教育**に力を入れているのかというと、それこそが鍵になると思っているからです。教育によって外交を担うことができるような人間、あるいは、それを理解するリテラシーのある人間をつくっていかないといけない。その壁は本当に厚いのですが。

橋爪　ユダヤの人びとが、なぜ何十年も先のことを考えるかと言えば、今がよくても、子どもが大人になって、いつまでも安全に生きていけるか、その保障がないからです。

佐藤　そのとおりだと思います。それは、たとえばイスラエルのエリート層は英語を丹念に使えるけれども、みなスマートフォンでのやり取りにはヘブライ語を使う、といったことに現れていますね。つまり、**言語を維持**している。

イスラエルのシリコンバレーと言われているエルサレム周辺にいるシステム・エンジニ

アだって、アメリカのシリコンバレーに移れば収入が五〜一〇倍になるにもかかわらず、エルサレムに留まって年収20万ドルぐらいで我慢しています。なぜかというと、**そういうもんだと思っている**から。そういうところは、やはりイスラエルのすごさですね。

あるいは、私はチェコ語を少し話す関係でチェコにも関心があるのですが、この国の人たちも大したものですよ。小さな国ですが、チェコは共通通貨ユーロに加わっていない。にもかかわらず、なぜ技師や医者がユーロ圏に逃げ出さずに、チェコに留まっているのかというと、やはり、そういうもんだと思っているからです。そうしないと我々のような小さい民族は生き残れないと考えて、経済合理性とは違う基準で動く人たちが相当数いるわけです。ロシアにもそういうところがあります。これって結局、教育とも強く結びついてくる話だと思うんです。

イスラエル、チェコ、ロシアは、私が非常に関心を持って見ている国なのですが、おしなべて、**独自のエートス**（慣習）があり、先を生き残るためにはどうすればいいか、ともすれば生き残れないんじゃないかという不安が強い人たちですよね。特にチェコ人は、チェコ民族が消滅するんじゃないかという危機感を常に持っています。その危機感の強さはイスラエル人に匹敵しますね。生き残るためには文化を維持しないといけない、文化によって政治を詰めていくんだという意識が極めて強いんです。

橋爪 旧大陸の人数の少ない民族は、必ずそういう危機感をそなえています。それを優先して、家族を生き、子どもの将来を考える。小さい国ほど先を考えます。

佐藤 そのとおりだと思います。

橋爪 そして、自分の目先の利益を犠牲にするのを厭わない。アメリカ人のように、のんびり金もうけに走るわけにはいかないです。日本は、と言うと……。

佐藤 サイズが中途半端に大きいんですよね。

橋爪 明治には、地上から消えてしまうかもしれない、という危機感があった。同じ頭でも、ずいぶん知恵が回った。そんなにバカな選択はしてない。状況次第だと思います。

ヤンキーが、地方を救う

佐藤 そこで1つ、こんな視点もあるということで付け加えさせてください。

経済の多極化ではグローバル化に歯止めがかかるとともに、経営コンサルタントの冨山和彦さんが「L（ローカル）」と「G（グローバル）」と分けているところの「L」の部分、つまり地方経済で近年に特徴的な盛り上がりが見られます。

地方経済というと、土建業が幅をきかせていたところがありましたが、そこがどんどん縮んでいるいっぽう、地元のニーズに応えていろいろなビジネスを展開している勢力が伸びているんです。その主体となっているのが、投資家の**藤野英人**さんが『**ヤンキーの虎**——新・ジモト経済の支配者たち』（東洋経済新報社）で指摘しているような、比較的低学歴の層、いわゆる「**マイルドヤンキー**」です。元暴走族だった人たちが運送業を始めたり、介護施設やパン屋、ラブホテルをつくったりと、いろいろな形で多角経営をして、コングロマリットをつくっている。地元ネットワークで仲間を集めて事業を始めるので、雇用の問題も特にありません。資本は自己資金か地元の信用金庫からの調達で、しかも地元行政ともつながっている。こういうところに、地方経済の中核が移りつつあるというわけです。

この話を上書きするような形で、二〇二〇年には、冨山和彦さんが田原総一朗さんとの対談ものとして出した『**新L型経済　コロナ後の日本を立て直す**』（角川新書）があります。そこでは、人口三〇万人の地方都市には独自の生態系ができており、人口が密集して限界を迎えつつある東京から人を移していくべきだという議論になっています。

このようにグローバル化とは直接関係のないところで、地方経済が再活性化している。経済を語るうえでは、そういうところも見ないといけないと思います。グローバルなものとはあまり関係のない、草の根的に生き残る本能が強い集団が地域限定型で頭角を現してきているんです。

そうなると、いわゆる大学の経済学部でやっているようなことと実体経済の乖離が大きくなってくる。たとえばアメリカの大学に留学してMBAをとったり、コンサル的な知識を身につけたりするなかで学ぶような簿記や企業価値の計算などとは、また別の論理で動くものが出てきているわけですね。地方行政と結びついているところもあり、この新しい動向をいかに分析の中に落とし込んでいくかというのは、非常におもしろい知的チャレンジだと思います。

ただ、私が思うのは、これは少し怖い話でもあるということです。

なぜなら、「国民」という意識を維持できるかという問題になっていきかねないからです。一方には「ヤンキーの虎」と呼ばれるような人々がつくっているネットワークがあり、もう一方には高度な教育を受け、啓蒙的理性を用いて話をする集団がいる。これらのギャップがあまりにも広がりすぎると、近代的な国家から、また別の形になっていく危険も同時に生じているのかなと感じています。

そこでやはり重要になってくるのは、**教育の機会平等性**でしょう。どういう生まれであっても、教育の機会は極力平等にあり、誰もが自分の能力、適性に応じて生きていくことができる。そういう社会を作っていかなくてはいけない。少し人より情報処理能力や記憶力の高い人のところに、富が極度に偏在するというのは改めなくてはいけませんね。そのためには、イノベーションで何か産業が生まれるときに、そこでちゃんと雇用も生み出すということが非常に重要だと思います。

橋爪　そのとおりです。新産業と、富の再配分を、両方考えるべきだ。

佐藤　自分には何ができるのか。自分の能力や適性に合うこと、おもしろいことをやって、同時に社会の役に立つこと。

その意味で、私は、「**労働価値説**」の見直しが非常に重要だと思うんです。労働価値説とは、要するに、ある生産物の価値は、それを生産するために要した労働時間によって決するというものですが、それだけではない。「生産物の価値＝労働時間」なのではなく、人間というのは、自己の労働によって、自分一人が食べていく以上の剰余価値生産ができるものなんだ、と。その根っこのところの認識さえあれば、それほど心配する必要はありません。

ただし環境制約性の問題もある。それをきちんと理解するには「理性」の力に頼らなくてはいけない。どれほど頼りなくても、です。感情やロマンに訴えたり、あるいは完全な価値相対主義に立ってしまうのはよくありません。

橋爪　同感です。大変、勇気づけられるお話でした。

「空虚」に対して戦う

橋爪　日本は国全体で、世界GDPの15％ぐらいまで行って、だんだん下がって10％を切った。このまま下がり続けて、4％ぐらいになる。そこで止まる保証もない。

佐藤　わかります。20年ぐらい前に森永卓郎さんが、「300万円で生活していこう」という**『年収300万円時代を生き抜く経済学』**（光文社）を出して大ベストセラーになりました。この本がセンセーショナルだったのは、当時、「300万円で生活できるはずがない」という見方が世の中の主流だったからですが、今は、一人300万円を稼げたらいいほうです。共働きなら世帯収入は600万円になります。

橋爪　今までと同じことをやっているから、そうなるんですよ。

幕末のときに、今までと同じことをやってればいいと思ってた人なんか、一人もいなかった。何かわからないけど、次の時代を開くことをやらなきゃいけない。頭のいいやつ

各国の名目GDPシェアの推移

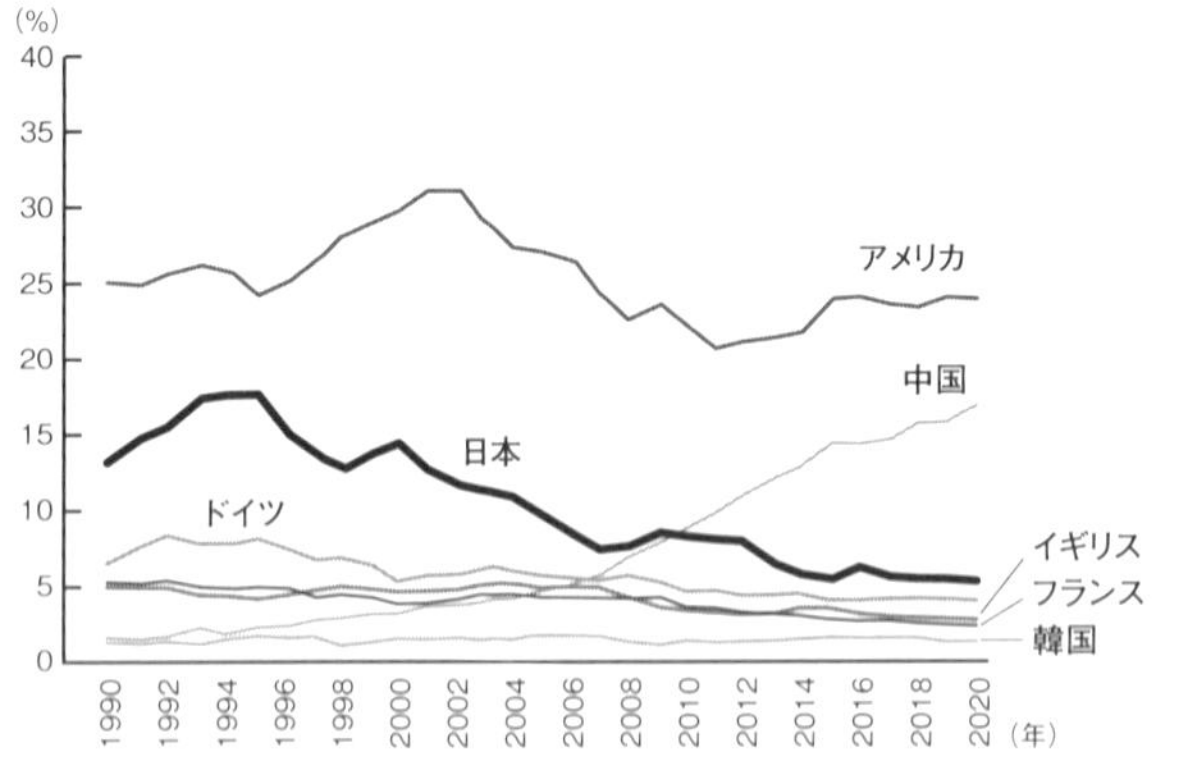

出典：IMF World Economic Outlook (October 2021)をもとにSBクリエイティブ株式会社が作成

が考えて、ほかの人びとはそれに賭けて、やってみると決めた。そうやってみな動いた。

つぎが見えるかどうか。曲がり角の向こうを見て、新しい時代を開いていく**アイディア**に触れるかどうか。そういうアイディアを思いつくかどうか。そういうアイディアを思いついたやつを知ってるかどうか。それに動かされるかどうか、だと思います。

佐藤　そうですね。もう1つは、危機的な状況にあるときですね。カネボウや日本航空など、再建に携わった人たちの話を聞くと、本当に地獄の釜の蓋が開きそうだという、ぎりぎりのところまでこないと人は動かない。カネボウでも日本航空でも、ああいった形で分割できたのは、うちの会社は何かおかしい、大変なことになるというのが、もう誰の目にも明らかだったからでしょう。その観点からすると、まだ日本は、国として余裕があるんですよ。

橋爪　そのとおりです。

佐藤　それがまずいんですよね。先読みができる人たちは、この国の将来について再三警鐘を鳴らしていますが、学校では、たとえば高校2年生になる時点で文科系と理科系を分けるという異常なことをしている。私立大学の文科系の入試が3科目だからといって、難関の中高一貫校で、中学1年生のときに数学の出来でふるいにかけてしまって、私立文系コースなんていうのをつくる。だから分数計算すら怪しいような難関大学の学生ができてしまう。

ただ、そういう学生の入学を認めてしまった以上は、何とかしなくてはいけない。大学で鍛え直せば、アメリカで十分通用するくらいにはなります。大学の入り口の時点で学力が低かろうと、いくらでも向上させられる。だから私は危機感をもって、やれる範囲でがんばっているんですけどね。

橋爪　そこで、日本をいま包んでいるのは、大きな「**空虚**」だと思うんです。「空虚」。何も考えてないわけじゃないいんです。だけど、浅いんです。たとえば、なぜ文系、理系を中学高校で分けるかと言えば、大学入試のことしか考えていないから。基準をそんな手前に置いている。君は数学をやっても無駄だ、試験に出ないからね。これに名前をつけると、「空虚」だと思います。

「空虚」とは、人生の全体、社会の全体、世界の全体を見ないで、知らないで、いまを生きようとすることです。将来、必ず足をとられる。

佐藤　就活なんていうのは空虚もいいところです。大学の3回生から、そんなことに時間を使っているなんて異常ですよ。

橋爪　教育の原点に戻るならば、その人が生きていく、幸せになる可能性の条件として、若いとき、どうしても身につけなきゃならないことが幾つかある。それを選り抜いて、選り抜いて、これだけは身につけてね、と上の世代から若い人びとに手渡しする。それが身につけばいいのであって、大学入試だとか就活だとか、そんなことはいくらでも取り返しがつく。こう思っていなければ、教員なんかやらないほうがいい。でも、そうじゃない教員だらけになっていく。これは、校長が空虚で、親が空虚で、政府が空虚で、社会が空虚だからだ。

佐藤　そこを何とかして変えていくためには、やれる範囲で一人一人の努力を積み重ねていくことが重要だと思うんですよね。たとえば、いくら「大学入試で失敗しても、いくらだってやり直しができる」といっても、大学の中で実際のロールモデルをつくらないと無理ですよ。そういう手間暇かけたことをする教員が増えてこないといけません。

橋爪　いろんな人びとがいろんな努力をするのは尊い。でも、この空虚を退治していくためには……。

佐藤　思想が必要ですよ。

橋爪　思想が必要です。あと、学生諸君が**パッション**を持ってないと駄目です。パッションは生きる力ですから。

佐藤　パッションはあっても、そこで邪魔になるのが**偏差値**ですよね。前に同志社の学長が「偏差値は加熱と冷却を繰り返す」と話していて、なるほどと思いました。学校の生徒が鉄だとして、焼きを入れると鍛えられて硬くはなるが、同時に折れやすくなる。偏差値偏重教育で生徒たちはヘトヘトになっているというわけです。だから、おそらく橋爪先生も東工大で感じられているのではないかと思いますが、日本の大学って勉強嫌いの学生の比率が高いですよね。

橋爪　それは日本の学校で勉強すれば、勉強嫌いになりますよ。

佐藤　そこがアメリカやロシア、チェコなんかとまったく違うところです。

橋爪　そうです。何かが根本的に間違っている。

佐藤　なんといったらいいのか、アンチシステムを作ってしまったんですよね。よほど強靭な意志力があるとか、あるいは外部から注入された別の思想を持っているとか、そういうことでもなければ、先ほど橋爪先生がおっしゃった「空虚」の中で育ってきた子たちは、なかなか耐え抜けないでしょう。

橋爪　自分が空虚になる以外、生き延びる方法がない。

佐藤　それは小説でいうと、野間宏の『**真空地帯**』みたいな感じですね。要するに、教育はよくできている人たちが、日ごろ、ちょっと下品で他愛のない冗談を飛ばし合っているんだけれども、その内側は何もない空虚で、みな戦場に行かされることにひたすらおびえている。そういう大阪の軍隊を描いたものですが、今の日本の教育や企業、役所の在り方というのは、なんだか総じて『真空地帯』のように見えるんです。

橋爪　そういうシステムは、実はとても脆弱です。あっという間に壊れちゃいます。

佐藤　そう思います。システムの中にいる人たち自身が、システムを信用していませんから。

橋爪　そうです。こんなものはむしろ、ないほうがいいです。何もなければゼロからつくれる。

佐藤　とりあえず生き残っていかなければいけないということで、今度は、そこがディープステート的なものになってしまうんですよね。近代的な国家ではなく、家産国家みたいになってしまう。

橋爪　困ったことはいっぱいあるんですけど、希望としては、私たちのこの本は、うそは書いてない。リアリティでできている。リアリティは、信じるに足る。だから、空虚に対する抵抗の拠点になる。

佐藤　賛成です。橋爪先生が書く本のおもしろさって何かというと、「どういうことなのか、読まないとわからない」ことなんですよ。今、市場に出ている本の大半は、「この著者だったら、こういう問題についてはこう言うに決まっているだろう」と予想がついて、それがまず外れることはありません。一種の**ポジショントーク**になっている。それも非常に薄っぺらいレヴェルのポジショントークです。だから、そういうものでなく、やはり物事をリアルに見ていくというのは、本当に賛成です。きわめて重要だと思います。

橋爪　私たちは、私たちができることをするしかないんですけど、取りあえず、この本を中学二年生が、どこかで見るかもしれない。中学二年生に向けては書いてないけど。

佐藤　我々にできることは何かというと、結局のところ一冊一冊の本を、全力を挙げてつくることなんですよね。そうやって、まず投げかけていくということ。私は、今年で大学の仕事を全部終わりにしようかと思っているのですが、それも持ち時間、体力、気力の問題がけっこう大きいからです。やはり**書くことに全力を集中**させないといけない、そう思っているところです。

橋爪　すばらしい。

佐藤　ちょっと気づくのが遅かったかもしれませんけど。

橋爪　いやいや。でも、書くことに集中するって、多くのことを諦めることなんですけれど、そんなに容易な道じゃないですから、くれぐれも健康にご留意ください。

佐藤　努力してみます。

■ 経済の分岐点

『学際的思考としての神学
同志社大学学生論集』
佐藤 優 編著、K&Kプレス、
2021年

『評伝　小室直樹（上）・（下）』
村上篤直 著、ミネルヴァ書房、
2018年

■ 科学技術の分岐点

『人新世の「資本論」』
斎藤幸平 著、集英社新書、
2020年

『資本論』
K.マルクス 著、向坂逸郎 訳、
岩波文庫、1969年

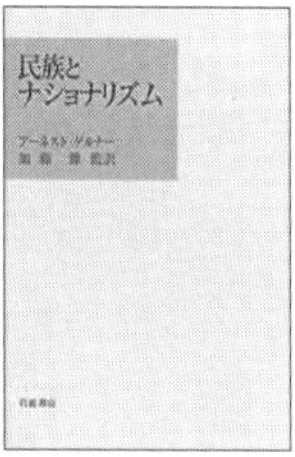

『民族とナショナリズム』
アーネスト・ゲルナー 著、加藤 節 監訳、
岩波書店、
2000年

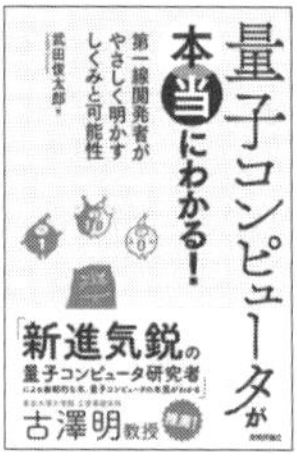

『量子コンピュータが本当にわかる！
―第一線開発者がやさしく明かす
しくみと可能性』
武田俊太郎 著、技術評論社、
2020年

■ 軍事の分岐点

『戦争論 上・中・下』
クラウゼヴィッツ 著、篠田英雄 訳、
岩波文庫、1968年

『中国が宇宙を支配する日
―宇宙安保の現代史―』
青木節子 著、新潮新書、
2021年

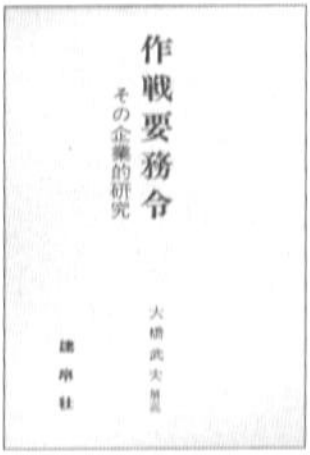

『作戦要務令』
大橋武夫 著、建帛社、
1976年

『統帥綱領』
大橋武夫 著、建帛社、
1972年

『未完のファシズム
「持たざる国」日本の運命』
片山杜秀 著、新潮選書、
2012年

『マッキンダーの地政学
デモクラシーの理想と現実』
ハルフォード・ジョン マッキンダー 著、
曽村保信 訳、原書房、2008年

『マハン海上権力史論』
アルフレッド・T・マハン 著、北村謙一 訳、
原書房、2008年

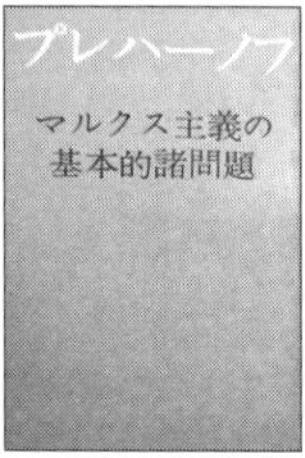

『マルクス主義の基本的諸問題』
プレハーノフ 著、川越史郎 訳、
プログレス出版所、1975年

■ 文明の分岐点

『人類史のなかの定住革命』
西田正規 著、講談社学術文庫、
2007年

『歴史序説』
イブン=ハルドゥーン 著、森本公誠 訳、
岩波文庫、2001年

『毛沢東選集 第一巻～第五巻』
毛沢東 著、日本共産党中央委員会毛沢東
選集翻訳委員会 訳、
日本共産党中央委員会出版部、1965年

『ウラジーミル・プーチンの大戦略』
アレクサンドル・カザコフ 著、佐藤 優 監訳、
原口房江 訳、東京堂出版、2021年

『外交』
H. ニコルソン 著、
斎藤 眞／深谷満雄 訳、
東京大学出版会、1968年

『特務（スペシャル・デューティー）
日本のインテリジェンス・
コミュニティの歴史』
リチャード・J・サミュエルズ 著、小谷 賢 訳、
日本経済新聞出版、2020年

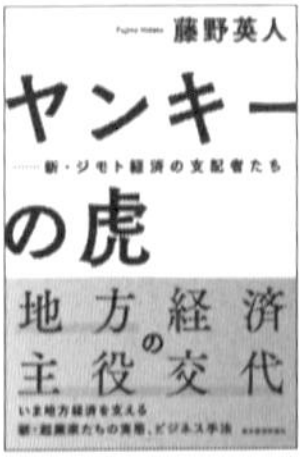

『ヤンキーの虎
―新・ジモト経済の支配者たち』
藤野英人 著、東洋経済新報社、
2016年

『新Ｌ型経済
コロナ後の日本を立て直す』
冨山和彦／田原総一朗 著、角川新書、
2021年

『年収300万円時代を
生き抜く経済学
給料半減が現実化する社会で
「豊かな」ライフスタイルを確立する!』
森永卓郎 著、光文社、2003年

『真空地帯』
野間宏 著、岩波文庫、
2017年

あとがき

佐藤 優

コロナ禍で世界の構造が大きく変わりつつある。その変化は主に2つの面で見られる。

第1は**グローバリゼーションに歯止めがかかり、国境の壁が高くなった**ことだ。別の言い方をすると国家機能が強化されている。先進資本主義国は、司法、立法、行政の三権分立で国家権力を相互に抑制するのが通例だ。コロナ禍においては、行政権が司法権、立法権に対して優位を占める傾向にある。グローバリゼーションに歯止めがかかっても、国家間の経済関係、政治関係、人的交流は深まってくる。スローガン的に表現するとグローバリゼーション（地球規模化）からインターナショナリゼーション（国際化）への転換が急速に進んでいる。

第2は**格差の拡大**だ。この格差は、国家間、一国内の地域間、階級間、ジェンダー間という4重の性格を帯びている。日本では経済的に弱い地域に住む非正規労働に従事するシングルマザーにしわ寄せが来ている。

【山梨】県内に暮らすシングルマザーの女性（42）は今年8月、「もうだめだ」とフードバンク山梨に助けを求めた。

所持金は300円しかなかった。5歳の息子に保育園に持って行かせる米を買おうとしたら、カードが利用限度額に達して払えなかった。

女性は夫から精神的なDVを受けて離婚。プレス工場でねじ穴を開ける仕事に就いているが、時給のパート。

コロナ前には10万円ほどだった月の手取りが、コロナ禍で5万円ほどに。食料や日用品はカードで払ってきたが、借金は60万円、車のローンも30万円ほど残り、給料はそのまま返済に消える。

息子にご飯や肉を食べさせるため、自分は朝と夜にもやしでしのぐ。セールで1キロ30円になったもやしが頼りだ。両親は年金暮らしで病気がちで頼れない。

コロナ禍でのリモートワークという言葉が「自分とは違う世界」と感じる。自分も在宅の仕事を探したが、見つからなかった。

女性は追い詰められても、「困っていると言えなかった」と言う。抱える悩みは大きいが、最初の一歩が難しかった。去年1人10万円を受け取った特別定額給付金などのお金も助かったがこれでいいのかとの思いがある。

同僚の強い勧めで、フードバンク山梨にようやく連絡をした。食料を届けてもらい、総合支援資金の貸し付けなどを受けられるよう社会福祉協議会にも連れていってもらった。

（2021年10月26日「朝日新聞デジタル」）

このような事例は読者の近くでも必ずある。しかし、それは見えにくい。

どの国家も行政権を強化することによって対外的には自国の立場を強化し、国内的には格差を是正しようとしている。先進資本主義国、中堅国では、民主主義的政治制度の枠組みは残しつつも権威主義への転換が進んでいる。中国のような独裁体制の国家ではビッグデータで国家が国民を監視するデジタル共産主義への転換が進んでいる。こういう傾向からファシズムに近いものが近未来に甦ってくる可能性すらある。

世界から日本に目を向けてみよう。日本の弱体化がコロナ禍で一層進んだ。二〇一八年から購買力平価に換算した米ドルベースの1人あたりのGDP（国内総生産）で、日本は韓国に抜かれ、その差が拡大しつつある。名目での国民1人あたりのGDPは日本が韓国を少し上回っているが、これが逆転するのも時間の問題と思う。1人あたりのGDPは、その国家の生産性を表す。日本は生産性の低い国家になりつつある。少子化が経済成長を阻害しているという点にだけとらわれると事柄の本質を見失う。なぜなら韓国における少子化は日本よりも深刻だからだ。韓国は生産性を向上させ、経済を成長させているが、日本にはそれができていないのである。

このままの状態が続くと20年後には国民1人あたりのGDPで日本はヴェトナムに追い抜かれると思う。

日本の危機は国内政治、外交、国防、経済、学術、技術、文化などすべての分野に及んでいる。ロシア革命を起こしたレーニンの言葉を借りれば「**全般的危機**」ということになろう。危機に陥ってしまった構造的要因を分析し、処方箋について書くことが筆者にとって焦眉の課題である。

本書で第1ヴァイオリンを弾いているのは橋爪大三郎先生だ。私は橋爪先生から、中国問題、都市問題（特に東京の現状と将来について）、教育問題、科学と技術の問題（特に核融合、量子コンピュータ、量子通信衛星）、軍事問題、文明の問題などに関するブリーフィング（説明）を受けた。対談を本にする際には、私が橋爪先生の見解に賛成する部分と見解の異なる部分が浮き彫りになるように編集した。

私は日本が抱える危機を克服するのに必要とされるのは**教育の質を改善**することと考えている。橋爪先生も強調していることであるが、現下日本の教育は、中学生・高校生が勉強を嫌いになるような組み立てになっている。大学受験に対応して高校で奇妙なカリキュラムが組まれていることが問題だ。日本では前期中等教育（中学校）だけが義務教育だ。前期中等教育と後期中等教育（高校）のカリキュラムには重複が多く、それがよく整理されていない。中等教育で学ぶ学習量は国際的にだいたい決まっている。日本の場合、義務教育である中学のカリキュラムが緩い。その分の負担が高校に回される。

高校では、数学と英語が急に難しくなり、覚えなくてはならないことも飛躍的に増える。その結果、高校生の大多数が数学か英語のいずれか1つ、もしくは双方で躓く。カリキュラムを消化できない生徒に対する補習はまったくなされないか、なされても不十分だ。進学校でも通常、2年生の初めには文科系と理科系に分けられる。筆者は、埼玉県立浦和高校に1975年に入学し、78年に卒業したが、文科系と理科系のクラス分けはなかった。全員が数学ⅠAから数ⅢC、理科は地学、生物、物理、化学、社会科は地理、日本史、世界史、政治・経済、倫理・社会を全て網羅的に勉強した。このときはなぜ受験に関係のない科目に時間を割かなくてはならないのかといらいらしたが、その後、大学、大学院、さらに社会人になってから高校で文系理系の科目をすべて網羅的に学んだことが役に立った。逆に現在のような虫食いだらけでの高校教育では大学教育に対応できない。

もっとも日本の教育を批判しているだけでは、事態は改善せず、世の中は良くならない。読書を通じて高校レヴェルの知識の欠損を埋めることが社会人にとって重要だ。本書は独学の手引きになることも意識して書かれた。

本書を上梓するにあたってはＳＢクリエイティブ株式会社の小倉碧氏、フリーランスの編集者でライターの福島結実子氏にたいへんにお世話になりました。どうもありがとうございます。

二〇二一年一〇月三〇日、京都市上京区の同志社大学神学館にて

佐藤　優

著者略歴

橋爪大三郎（はしづめ・だいさぶろう）

1948年生まれ。社会学者。大学院大学至善館教授。東京大学大学院社会学研究科博士課程単位取得退学。1989～2013年、東京工業大学で勤務。著書に、『はじめての構造主義』（講談社現代新書）、『教養としての聖書』（光文社新書）、『死の講義』（ダイヤモンド社）、『中国 vs アメリカ』（河出新書）、『人間にとって教養とはなにか』（SB新書）、共著に、『ふしぎなキリスト教』（講談社現代新書）、『中国共産党帝国とウイグル』（集英社新書）などがある。

佐藤 優（さとう・まさる）

1960年東京都生まれ。作家、元外務省主任分析官。1985年、同志社大学大学院神学研究科修了。外務省に入省し、在ロシア連邦日本国大使館に勤務。その後、本省国際情報局分析第一課で、主任分析官として対ロシア外交の最前線で活躍。2002年、背任と偽計業務妨害容疑で逮捕、起訴され、2009年6月執行猶予付有罪確定。2013年6月、執行猶予期間を満了し、刑の言い渡しが効力を失った。『国家の罠』（新潮社）で第59回毎日出版文化賞特別賞受賞。『自壊する帝国』（新潮社）で新潮ドキュメント賞、大宅壮一ノンフィクション賞受賞。『人をつくる読書術』（青春新書インテリジェンス）、『勉強法 教養講座「情報分析とは何か」』（角川新書）、『僕らが毎日やっている最強の読み方』（東洋経済新報社）、『調べる技術 書く技術 誰でも本物の教養が身につく知的アウトプットの極意』（SB新書）など、多数の著書がある。

SB新書　571

世界史《せかいし》の分岐点《ぶんきてん》

激変《げきへん》する新世界秩序《しんせかいちつじょ》の読《よ》み方《かた》

2022年1月15日　初版第1刷発行
2022年2月17日　初版第3刷発行

著　　者　橋爪大三郎《はしづめだいさぶろう》・佐藤《さとう》 優《まさる》

発 行 者　小川 淳
発 行 所　SBクリエイティブ株式会社
〒106-0032　東京都港区六本木2-4-5
電話：03-5549-1201（営業部）

装　　幀　杉山健太郎
本文デザイン　松好那名（matt's work）
写真（佐藤 優）：榊 智朗
D T P　荒木香樹
編集協力　福島結実子
編　　集　小倉 碧（SBクリエイティブ）
印刷·製本　大日本印刷株式会社

本書をお読みになったご意見・ご感想を下記URL、
または左記QRコードよりお寄せください。

https://isbn2.sbcr.jp/10098/

ISBN 978-4-8156-1009-8